La enciclopedia de las
PLANTAS DE INTERIOR

La enciclopedia de las
PLANTAS de INTERIOR

Pablo Martín Ávila

LIBSA

Dedicado a mi abuelo Pablo, que me enseñó la
importancia de continuar en contacto con la tierra.
Nunca olvidaré tus consejos.

© 2008, Editorial LIBSA
C/ San Rafael, 4
28108 Alcobendas. Madrid
Tel. (34) 91 657 25 80
Fax (34) 91 657 25 83
e-mail: libsa@libsa.es
www.libsa.es

ISBN: 978-84-662-1412-4

COLABORACIÓN EN TEXTOS: Pablo Martín Ávila
EDICIÓN: Equipo Editorial LIBSA
DISEÑO DE CUBIERTA: Equipo de Diseño LIBSA
MAQUETACIÓN: Almudena Valero y Equipo de Maquetación LIBSA

Contenido

INTRODUCCIÓN

La ecología, la moda, la decoración son manifestaciones directas de la cultura de nuestros días; por eso no es de extrañar el enorme auge que está cobrando el universo de las plantas de interior, pues aúna en una misma disciplina varios de estos intereses tan al uso.

Desde el punto de vista de la ecología, las plantas de interior nos permiten conocer el admirable trabajo que la naturaleza es capaz de realizar en una simple flor. Aprendemos los ciclos naturales, la extrema sensibilidad y complejidad que tienen unos seres que, a veces, olvidamos que son entidades vivas, fundamentales para la supervivencia del resto de las especies del planeta. Comprendemos, en definitiva, cómo gracias a las especiales funciones de los vegetales, el resto de la vida puede seguir su curso, convirtiéndose en el principio del ciclo vital.

La moda, entendida como la adopción de nuevas tendencias, y la decoración, como reflejo de una renovada preocupación por el cuidado de los detalles y la armonía del entorno, han ayudado también a aumentar este interés por las plantas de interior. La casa no es solamente el lugar donde uno habita, es un refugio, pero también un centro de relaciones sociales, un escaparate de nuestra forma de vida que expone de manera gráfica muchos de los detalles que hoy son considerados importantes: la estética, el éxito profesional, la sensibilidad y la cultura, dando información sobre nosotros a las personas que a él acuden. Por tanto es comprensible que con esta doble vertiente nos sintamos a gusto en nuestro entorno mostrando lo que somos. Las plantas de interior son una ayuda fundamental a la hora de poner en práctica la decoración y el diseño de los interiores de nuestro hogar y también una forma subliminal de mostrar nuestra forma de ser a quienes nos visitan.

Al plantear esta obra, no podemos olvidar a las personas que sin ninguna otra aspiración, ni con otro fin más que el

Las especies tropicales cobran cada vez más protagonismo en los arreglos vegetales de interior.

del puro entretenimiento, han encontrado en el cuidado de las plantas de interior un verdadero *hobby*.

La necesidad de publicar esta *Enciclopedia de las plantas de interior* nace del deseo de atender la demanda de una información completa, estructurada, directa y de fácil entendimiento, que por una parte ayude a los ya iniciados a comprender mejor este arte, puesto que de un arte se trata, que les apasiona, y por otra que enganche y guíe a los neófitos para que decidan adentrarse en este asombroso universo. En este volumen se ha dado clara importancia a maximizar el número de plantas a tratar para poder cubrir las necesidades de nuestros lectores. Partiendo de esta idea, se ha estructurado la enciclopedia entorno a dos grandes ejes. En primer lugar, se abordarán los usos que podemos dar a las plantas de interior (decoración, arreglos, interiorismo) haciendo hincapié en los cuidados que éstas necesitan, deteniéndonos en temas como los sustratos de suelo más idóneos, las necesidades de agua, las formas de riego o el difícil equilibro en la ecuación luz-temperatura-humedad. Se aprenderán también los métodos más idóneos de transplante, reproducción y multiplicación para todo tipo de plantas y la diferencia entre los sistemas, sin olvidarnos de las enfermedades más comunes y los tratamientos que se pueden seguir para corregirlas.

En la segunda parte de esta enciclopedia, mucho más extensa, se analizan cerca de 300 plantas de interior. Partiendo de una clasificación sencilla en dieciséis grandes grupos, se aportan datos históricos y morfológicos de cada una de las plantas prestando especial atención a parámetros como luz, temperatura, humedad, riego, poda, épocas de trasplante, tipos de nutrientes, etc. de una manera muy rigurosa y práctica. Todas estas entradas se acompañan además de unos símbolos para que de manera sencilla y rápida se puedan distinguir las principales necesidades y cuidados de cada planta.

Ya en la antigua Grecia a las orquídeas se les atribuían propiedades curativas y afrodisíacas.

Desde la antigüedad, las plantas se han utilizado como elementos de decoración, como puede verse en este Patio de la Acequia del Generalife.

CUIDADOS Y USOS

Muchas veces habrá oído decir que el cuidado de las plantas de interior requiere unas dotes especiales y una atención a los detalles que van más allá de lo normal. Nada más lejos de la realidad, ya que la jardinería de interior es un *hobby* accesible a cualquier persona. Su éxito depende de la atención prestada a las nueve labores básicas que a continuación se describen.

PLANTAR

HERRAMIENTAS

Cuando alguien se dispone a preparar un plato siguiendo las instrucciones de una receta, comienza preparando los utensilios y los materiales que va a tener que utilizar. Del mismo modo, antes de sumergirnos de lleno en las labores necesarias para triunfar en la jardinería, debemos hacer un pequeño resumen de las herramientas básicas con las que se debe contar:

GUANTES. Son necesarios para cualquier trabajo de jardinería. Aunque restan sensibilidad y cuesta acostumbrarse a trabajar con ellos, nos protegen de cortaduras, espinas, hongos y otros minúsculos seres que viven en nuestras plantas.

DESPLANTADOR. Resulta necesario cuando trabajamos con cantidades abundantes de sustrato. En las grandes macetas y para plantas de tamaño medio o medio alto se hace imprescindible, ya que ayuda a mover tierra, a buscar bulbos y a horadar la tierra que rodea una planta para trasplantarla.

HORQUILLA. Con ella pinchamos el suelo de nuestra maceta, deshaciendo los grumos y aireando el sustrato.

REGADERA. Aunque es quizás la herramienta más conocida, lo cierto es que existen utensilios para regar muy variados. Las

En el mercado existen diferentes tipos de guantes (porosos, de tela, de algodón, de plástico…). Es recomendable disponer de unos de nitrilo, que evitan pinchazos y resultan más higiénicos.

Es conveniente tener un lugar específico para guardar las herramientas y llevar a cabo las labores de jardinería.

regaderas pueden tener cientos de tamaños y formas. En primer lugar habría que señalar las regaderas de pitón, que tienen una manga larga y fina que sirve para penetrar entre las hojas de las plantas más tupidas para así poder regarlas sin tocar las hojas. En segundo lugar se encuentran las de caño grueso, que tienen mayor capacidad que las habituales (6-8 litros) y por ello se utilizan para regar macetas grandes. Sería recomendable adquirir una regadera con boquilla sustituible: así podremos utilizar alcachofas específicas para cada tipo de planta, ganando en versatilidad y ahorrando espacio de almacenaje.

PULVERIZADOR. Tres usos distintos son los que daremos a este utensilio: limpieza, hidratación y tratamiento. Por una parte nos ayuda en la limpieza de las plantas. También sirve para humedecer las hojas de las plantas que necesitan de una alta humedad ambiental. Finalmente, es necesario para la aplicación de algunos tratamientos (fungicidas, insecticidas…).

PAÑOS, CEPILLOS Y PINCELES. Son necesarios para realizar una correcta limpieza de las hojas de las plantas. El polvo que se acumula en ellas, además de antiestético, impide la fotosíntesis y contiene ácaros que pueden infectar nuestra planta.

TIJERAS. Por regla general, la jardinería de interior no requiere contar con un amplio catálogo de objetos cortantes. Sin embargo, unas buenas tijeras multiusos son casi imprescindibles: nos permitirán realizar pequeñas podas, cortes para la multiplicación por esquejes, injertos…

MACETAS. Se fabrican de tamaños y materiales diversos. En páginas posteriores analizaremos los modelos existentes en el mercado y el formato adecuado para cada tipo de planta.

SUSTRATOS. Es indispensable contar con pequeñas cantidades de arena, arcilla, turba y compost, entre otros.

Las palas y rastrillos son herramientas muy tradicionales, pero no por ello menos útiles.

La elección del sustrato adecuado es uno de los pasos más importantes a seguir antes de plantar.

FITOSANITARIOS Y SUPLEMENTOS. Para curar plagas y evitar infecciones es necesario contar con algunos fitosanitarios. Los suplementos y abonos, químicos o naturales, dependerán de las plantas que vayamos a cultivar.

TUTORES. Se usan para guiar y corregir el crecimiento de algunas plantas. Pueden ser de plástico, resina o madera.

MACETAS Y TERRARIOS

Elegir adecuadamente el recipiente en el que colocar la planta es una de las primeras decisiones importantes en jardinería. Dentro de esa maceta, jardinera o terrario se van a desarrollar las raíces de nuestras plantas. Los tipos de raíces son muy variados, desde pequeñas y filamentosas hasta rizomas o bulbos, y cada uno tiene sus propias necesidades. La decoración también es un factor importante a la hora de acertar con la elección, ya que el recipiente no sólo tiene que combinar con la planta en sí sino también con el entorno. Hay una enorme variedad de jardineras, macetas y terrarios construidos en infinidad de materiales, tamaños y calidades. Las variedades más comunes son:

MACETAS DE BARRO. Se confeccionan artesanalmente, mediante cocción lenta en horno de carbón. Su principal característica es que son transpirables: el material es ligeramente poroso y consigue eliminar la humedad del sustrato refrescando el ambiente que la rodea. Quizá sus mayores inconvenientes sean el coste y su fragilidad.

MACETAS DE TERRACOTA. Aunque son más caras que las de barro, se han puesto de moda en los últimos años. Son muy decorativas y elegantes. Como punto negativo hay que destacar su extrema fragilidad ante los cambios bruscos de temperatura.

MACETAS DE PLÁSTICO. Sin duda son las más usadas. En la actualidad hay todo tipo de colores y texturas. Son las más cómodas por su versatilidad y por su menor precio. La ligereza de peso hace que sean más fáciles de transportar. Como inconvenientes habría que destacar su aspecto menos elegante, el hecho de que no sean porosas (este punto se convierte en positivo si queremos mantener el sustrato siempre

El tamaño de la maceta debe ser proporcional a la planta.

húmedo con menos riego) y que pierden color con su exposición continuada al sol.

JARDINERAS DE PLÁSTICO. Son perfectas para colgar en ventanas y terrazas, o para grandes plantas en las oficinas. Los diseños han mejorado espectacularmente. Si están construidas en resina, su coste será mayor, pero son más resistentes, no pierden color y se pueden encontrar realizadas con formas más imaginativas.

JARDINERAS DE MADERA. Aportan un estilo rústico, más cálido y hogareño. Han de tratarse con barniz para hacerlas impermeables. Por las juntas de los listones o tablas puede perderse agua y tierra durante los riegos. Los ensamblajes no deberían ser de materiales oxidables.

CESTAS COLGANTES. Resultan perfectas para decorar rincones, terrazas y zonas en dos alturas. Plantas como la petunia, algunos helechos o trepadoras siempre resultan más atractivas en este tipo de macetas.

Hay que prestar atención a la hora de regar, pues el agua gotea manchando todo lo que se encuentre alrededor; para evitarlo, se pueden descolgar para el riego o bien hacerlo con más frecuencia pero con menor cantidad de agua.

TERRARIOS. Son recipientes, a modo de invernaderos en miniatura, en los que conseguimos reproducir las condiciones propias de ambientes tropicales (humedad y temperatura). Su uso está muy extendido, y gracias a ellos podemos cultivar en el interior de nuestras casas especies tropicales o selváticas que no podrían sobrevivir en otras condiciones. Un terrario puede ser construido en un acuario, en una pecera, en botellas y tarros de cristal, o incluso en urnas plásticas o de cristal.

SUSTRATOS

Las plantas, atendiendo a la región de la que son originarias, y a sus características propias del género, especie o ejemplar, necesitan

Una forma de tener plantas en interiores sin excesivo trabajo ni preocupaciones de espacio es este sistema de plantación en una pecera u otro recipiente similar.

La elección del sustrato adecuado es uno de los pasos más importantes a seguir antes de plantar.

unos determinados nutrientes y aportes minerales. El sustrato es el suelo donde la planta se encuentra colocada; de él toma el alimento necesario para su desarrollo. Las plantas de jardín y las que nacen espontáneamente en la naturaleza disponen de un sustrato amplio, que hace más difícil cualquier actuación sobre él para modificarlo. Por el contrario, las plantas de interior, situadas en macetas y terrarios, poseen el sustrato que nosotros queramos crear para ellas. Los vegetales, a través de sus raíces, toman del suelo el agua, los minerales y otros oligoelementos vitales para su supervivencia. No todos los sustratos contienen los mismos elementos ni en igual proporción. Para unas plantas es absolutamente imprescindible la presencia de un determinado mineral, pero para otras este mismo nutriente podría resultar letal. Por eso existen multitud de sustratos, mezclas y proporciones, que además se pueden combinar entre sí.

En primer lugar, hay que prestar atención al drenaje. Uno de los errores que peores consecuencias trae en horticultura se produce en el instante de la plantación: si el sustrato que se pone en una maceta no facilita el drenaje y la aireación, se está condenando a la planta a una muerte segura por putrefacción. Para evitar que esto ocurra hay que asegurarse de que el tiesto que utilicemos disponga en la parte inferior de uno o varios agujeros que permita la eliminación del agua sobrante de cada riego. A continuación se depositan en el fondo de la maceta un puñado de piedras, guijarros de río o tejas rotas. De esta forma conseguimos facilitar el drenaje natural de la planta y que el agua sobrante no se estanque y permanezca en contacto con el resto de la tierra útil.

Fijemos ahora nuestra atención en el pH. Para los químicos, el valor del pH representa la concentración de iones de hidrógeno en una determinada solución. Al margen de esta definición, podemos decir que el pH es una característica química de cada suelo que determina los nutrientes disponibles e influye en la solubilidad de los minerales del sustrato.

Los elementos añadidos y la decoración de la planta tienen que favorecer su drenaje y aireación.

De una forma esquemática, cuando los valores son anormalmente altos (o bajos) la planta dejará de crecer, perderá o cambiará el color de sus hojas, y todo ello debido a que no es capaz de sintetizar correctamente los nutrientes de los que dispone el suelo. El índice de pH se mide de acuerdo a una escala que puntúa entre el 0 y el 14. De esta forma, y atendiendo al valor de la medición, los suelos pueden ser clasificados en tres categorías distintas:

El agua de riego puede alterar el pH del sustrato según sea ácida o alcalina.

ÁCIDO. Para un valor inferior a 6,5. Estos suelos resultan idóneos para plantas como la azalea, hortensia, camelia o gardenia, por su alto contenido en hierro, manganesio, zinc o aluminio. Por el contrario, es común que este tipo de sustratos carezcan de elementos como el calcio, el fósforo, el magnesio o el boro.

NEUTRO. Para los químicos el pH neutro únicamente es aquel que tiene un valor de 7. En horticultura se considera que un suelo es neutro si el valor oscila entre 6,5 y 7. Este sustrato es el idóneo para la mayoría de las plantas conocidas, pues se dan las condiciones químicas necesarias para que los elementos propios de ese suelo, o los añadidos artificialmente, sean sintetizados de manera correcta por la planta.

ALCALINO O BASE. Este es el nombre que reciben los suelos con un índice mayor de 7. Magnesio, fósforo o calcio (entre otros) son los elementos que más fácilmente encontraremos. Se caracterizan por la falta de hierro, que puede hacer que las plantas pierdan color y que sus hojas se tiñan de amarillo. Plantas como caléndulas, rosales o tulipanes prefieren suelos alcalinos.

El estado ideal de un suelo sería contar con un índice de pH neutro. Pero en ocasiones es difícil mantener este estado. Lo habitual es comprar un sustrato ácido, porque el agua de riego (ligeramente alcalina en la mayoría de los países) va poco a poco subiendo el pH de la tierra que riega, y llegado un momento podemos empezar a

Los tulipanes prosperan tanto en suelos ácidos como alcalinos, siendo ideal un pH entre 6,5 y 7,5.

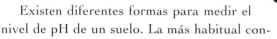

Si lo que se pretende es disminuir el pH,
se añadirán gotas de limón en el agua de riego.

ver cómo nuestras plantas, incomprensi-
blemente, comienzan a perder fuerza de
crecimiento o sufren palidez por falta de
hierro.

Existen diferentes formas para medir el
nivel de pH de un suelo. La más habitual con-
siste en comprar unos sencillos reactivos en cualquier droguería o farmacia y seguir
las instrucciones. Pero también podemos realizar las mediciones de una manera
casera, preparando nuestros propios reactivos naturales. Para ello basta tener unas
hojas finas de lombarda, unos filtros de café, papel de aluminio, limón, vinagre y
bicarbonato. Para empezar, se corta en finas lonchas la lombarda y se hierve durante 25 minutos reservando el agua fruto de la cocción. Se toman los filtros de papel
y los cortamos en tiras de 1x4 cm. Se mojan las tiras en el líquido frío de lombarda
y se dejan secar sobre papel de aluminio. Ya están los reactivos. Para comprobar el
nivel basta con tomar un puñado de tierra y colocarlo en un recipiente con agua
destilada durante 30 minutos. Pasado este tiempo tomaremos unas gotas de esta
agua y mojaremos con ellas las tiritas que habíamos fabricado. Comparando el
color de nuestro reactivo con la tabla adjunta podremos determinar el nivel de pH
de nuestro suelo.

Color	Índice relativo pH (del suelo)
Rojo y rojo violáceo	4-6 ácido
Azul violáceo	7 neutro
Azul o verde	7,5-11 alcalino

Los sustratos pueden ser adquiridos con las mezclas ya realizadas en cualquier
centro de horticultura o grandes almacenes. La mayoría de estos compost basan su
fórmula en la combinación de turba, resaca (o tierra mejorada, que aporta nutrientes
extra) y perlita (bolitas blancas de ferrita y cementita que otorgan a nuestro sustrato
porosidad y mayor capacidad de retención de agua). Las proporciones varían enorme-
mente; de hecho, la proporción exacta de la composición del sustrato es el secreto
mejor guardado de un buen horticultor. En este caso la experiencia propia y la intui-
ción serán nuestros mejores maestros.

En ocasiones, una planta puede enfermar o incluso morir a causa de un defecto en el sustrato, que quizá no contenga suficientes nutrientes o no retenga bien el agua.

A modo de guía se puede probar con las siguientes proporciones; la primera cifra representa la turba, la segunda la resaca y la tercera la perlita. 3-1-2, para plantas que vayamos a cultivar por su follaje; 3-1-3, si lo que deseamos es que el sustrato no quede nunca seco sin tener que regarlo continuamente; y 4-1-2, para obtener suelos ácidos.

En las ocasiones en las que se utilice tierra natural, de jardín o de bosque hay que tomar siempre una medida de precaución: la esterilización por calor para evitar que las bacterias, hongos y otros elementos dañinos propios de suelos naturales queden neutralizados; para ello introduciremos el sustrato en un horno a 100° C durante 45 minutos. Desde esta enciclopedia recomendamos usar siempre compost empaquetado, ya que tiene menor dificultad de manejo y reduce las posibilidades de infectar plagas o enfermedades. Por ejemplo, si no se es un experto en tierra es fácil elegir una que contenga una alta proporción de arcilla, con lo que no drenará lo suficiente y la planta acabará pudriéndose.

Una vez colocado el sustrato en el interior de la maceta, y antes de sembrar ni plantar nada, habrá que regarlo dos o tres veces en un mismo día. Esto conseguirá filtrar los elementos no deseados y compactará ligeramente la tierra. Tras esta labor,

procederemos a realizar un pequeño volcán con el sustrato en la parte central de la maceta. Dependiendo del tipo de planta que vayamos a colocar será más o menos profundo. En este hueco introduciremos 1/3 del tallo (incluidas raíces) de la planta si es nueva, y únicamente las raíces si se trata de un trasplante o de planta crecida. Compactaremos manualmente la tierra de alrededor del tallo y taparemos los restos del hueco dejado por el volcán.

Las plantas liberan oxígeno al realizar la fotosíntesis; por eso, a la selva del Amazonas se le denomina el pulmón del planeta.

LUZ

Al igual que para cualquier otro ser vivo, la luz es un elemento vital de primer orden. Gracias a ella, los vegetales pueden realizar el milagro de la fotosíntesis, que es una combinación química que se opera en los vegetales por la acción de la luz y que permite la formación de sustancias orgánicas para la nutrición. Este proceso de conversión del agua y el dióxido de carbono a carbohidratos tiene lugar en presencia de la clorofila y es activada por los rayos del sol. Sólo las plantas y un número determinado de microorganismos pueden realizar la fotosíntesis.

Aún siendo tan necesaria la luz para las plantas, no todas ellas tienen las mismas necesidades de exposición al astro rey. En esta enciclopedia aparece detallado, junto a la descripción de cada una de las plantas, el nivel óptimo de luz solar que debe recibir y cuál es la mejor ubicación dentro de un espacio cerrado.

Como norma general, las plantas de interior necesitan vivir en zonas de la casa con buena luz, pero sin tener un contacto directo con el sol durante más de cuatro horas al día. Otras muchas necesitan únicamente protegerse del sol durante las horas centrales del día. Por el contrario, algunas especies sólo pueden desarrollarse si reciben luz directa durante todo el día, siendo éstas imposibles de cultivar en

La estructura acristalada de los invernaderos asegura que a las plantas nunca les falte la luz.

Los fluorescentes y las lámparas halógenas estimulan el crecimiento y las de vapor la floración.

determinadas regiones sin la ayuda de la luz artificial.

Es preciso señalar que para determinar la cantidad de luz que hay en una habitación hay que tener en cuenta la influencia de los colores de las paredes, la existencia de espejos o la presencia de cristaleras y muebles. Por ejemplo, los espejos y los tonos blancos siempre aportan mayor luminosidad a una habitación, haciendo que la luz se refleje e irradie con mayor potencia.

Una alternativa adecuada para la luz natural puede encontrarse en la artificial. Gracias a las lámparas podemos cultivar más especies de plantas de las que en principio nos permita la estancia. Las opciones que se utilizan son las siguientes:

LÁMPARAS INCANDESCENTES. Son las bombillas comunes. Producen luz roja e infrarroja gracias a su filamento interno. No es un sistema recomendable, por su excesivo consumo y bajo rendimiento.

LÁMPARAS DE VAPOR DE MERCURIO (MV). Producen luz blanca, azul y verde que ayuda a las plantas durante su período de crecimiento.

LÁMPARAS MIXTAS. Este tipo de foco es algo más costoso. Sus beneficios son evidentes, ya que aúnan la radiación roja de las lámparas incandescentes y la gama blanca de las de vapor de mercurio.

FLUORESCENTES. Utiliza los mismos componentes que las lámparas de vapor de mercurio, sometidos a una presión menor.

Si la luz llega muy directamente a la planta hay que girarla de vez en cuando; es bueno porque así le dará la luz por igual a toda ella y se desarrollará más equilibradamente.

Producen luz azul y roja. Su ven-
taja nace de ser económicas, poco
caloríficas y de fácil sustitución.
Están especialmente indicadas para
el período de enraizamiento.

LÁMPARAS DE VAPOR DE SODIO A
ALTA PRESIÓN (HPS). Son de amplio
espectro, ya que producen luz amarilla
y anarajanda, indicada para las épocas
de crecimiento y floración. Tienen un coste elevado, pero si se vive en zonas de poca luz
o se quiere cultivar plantas que necesiten mucho sol, el gasto se ve ampliamente compen-
sado por el resultado obtenido. Es muy importante señalar que el máximo rendimiento
se consigue combinando los distintos tipos de luz artificial disponibles en el mercado,
adaptándose a la estación y al ciclo biológico de cada planta. El lugar idóneo para colocar las lámparas es justo encima de las plantas; en términos generales, las plantas de flor
deben situarse a unos 25 cm del foco de luz y las de follaje a unos 40 cm.

REGAR

No es fácil acertar con la cantidad de agua necesaria para cada tipo de planta. El lector podrá encontrar en cada planta un símbolo orientativo acerca de la cantidad y
frecuencia de riego más adecuadas para cada especie. Al contrario de lo que se
pueda pensar, es más común hacer enfermar a una planta por exceso de riego que
por defecto. Es mucho más difícil dejar secar una planta, siempre que se ponga un
mínimo de atención, que dañarla por exceso de agua. Por todo ello, conviene seguir
una serie de consejos básicos para acertar con la cantidad de agua que dispensare-
mos a nuestras plantas de interior.

Los cuidados comienzan con el
primer riego, que, como ya hemos
explicado, ayuda a asentar el compost de la maceta y permite determinar si hemos creado un buen sistema
de drenaje; para ello basta con
observar si tras este primer y copioso riego el agua sale de manera natural por la parte inferior de la maceta.

Los cactus son ejemplos paradigmáticos de
plantas que apenas requieren riego.

Hay especies que necesitan el suelo siempre húmedo, por ello además de regar con mayor frecuencia se pueden colocar en su sustrato musgos que ayuden a mantener la humedad elevada y constante.

Recordando que siempre es mejor regar de menos que en exceso, se puede establecer una norma general: las plantas de interior prefieren riegos largos y espaciados.

También se ha de atender a la ubicación de la planta para determinar la frecuencia del riego. Las plantas que se encuentran en habitaciones muy cálidas (habitualmente por efecto de calefacción) o en zonas de corrientes de aire necesitan ser regadas con una mayor frecuencia, debido a que su agua se evapora más rápidamente.

Para saber si una planta necesita agua adicional, basta con fijarse en las hojas. Si las vemos lacias y apagadas, es señal clara de que hace falta regar más. Por el contrario, si se ponen amarillas o pierden consistencia es que hay exceso de agua y probablemente sea tarde para salvar la planta, ya que las raíces empiezan a pudrirse antes de que aparezcan efectos en las hojas. Por eso es más fácil salvar a un planta de la sequía que del encharcamiento.

En apartados anteriores, al hablar de las regaderas como herramientas necesarias para la jardinería, se explicaba la conveniencia de hacerse con un ejemplar que tenga la boca de riego larga y fina. Éstas nos servirán para regar las plantas cuyas hojas no toleran la humedad (no deben ser mojadas), y se les suministra el agua con sumo cui-

dado en el centro de la maceta, con la precaución de apartar una a una las hojas cercanas al punto de riego.

Las especies de origen tropical necesitan generalmente una alta humedad, por lo que es común pulverizar sus hojas con agua tibia entre los riegos. Las bromeliáceas van un paso más lejos en sus necesidades hídricas y requieren que la parte central de la planta o roseta esté

La mejor forma de conocer las necesidades hídricas de una planta es observar su aspecto.

ligeramente encharcada cuando la temperatura ambiente sea superior a 22 °C.

El agua de riego ha de ser el agua corriente del grifo. Pero cada agua es distinta; así, dependiendo del lugar donde vivamos, ésta puede tener mayores cantidades de las recomendadas de cloro, cal, etc. En cada caso hay que informarse del tipo de agua disponible en nuestra región (dura, blanda, etc.) y tomar medidas para adaptarla a las necesidades de nuestras plantas. Si se desea eliminar el cloro, basta con dejar el agua en reposo durante 24 horas o hervirla y dejarla enfriar. Para reducir la cantidad de cal, se puede añadir unas gotas de limón, vinagre o fertilizantes minerales. De esta forma se consigue un agua equilibrada que no vaya modificando poco a poco la composición de nuestro sustrato, en detrimento de la planta.

Para finalizar con el riego, no hay que olvidar las plantas que necesitan tomar el agua directamente desde la raíz. En vez de regarlas desde arriba, habrá que poner el agua en el plato que se colocará bajo la maceta, de forma que la planta pueda ir tomando poco a poco el agua que necesite.

ABONAR

Las plantas toman de la tierra los nutrientes necesarios para su desarrollo. En el caso de la jardinería de interior, este alimento debe encontrarse en un espacio muy reducido, por lo cual se hace necesario renovar continuamente los elementos disponibles en el sustrato. Siempre se ha dicho que la naturaleza es sabia, y en el caso de los ecosistemas salvajes es el propio ciclo vital de plantas y animales el que se encarga de garantizar la fertilidad de la tierra. Sin embargo, en el caso de las macetas habrá que afrontar este problema con nutrientes, abonos y suplementos.

En general, los nutrientes se dividen en oligoelementos, como boro, zinc, hierro y cobre, y macroelementos, como azufre, nitrógeno, fósforo, potasio y calcio. Reciben estos nombres por las distintas cantidades de ellos que necesitan las plantas. Los aportes que se han de realizar dependen no sólo del tipo de planta,

El uso correcto de los fertilizantes garantiza la salud y la frondosidad de la planta.

El guano, que proviene de los excrementos de las aves marinas y de los murciélagos, es el mejor fertilizante que se conoce.

sino también del tipo de suelo (como se ha visto al hablar del pH) y del momento vital de la planta. Así, para una mejor aclimatación con la llegada del otoño y para aumentar el número de flores es conveniente añadir fósforo y potasio a nuestro suelo. Por el contrario, si estamos cultivando una planta de gran follaje se hace indispensable administrar fertilizantes nitrogenados, que proporcionan lustre y fortaleza a las hojas y tallos. En el mercado se pueden encontrar diversos tipos de abonos:

FERTILIZANTES LÍQUIDOS. Conviene mezclarlos con el agua de riego en las dosis que el fabricante indique. La planta los sintetiza inmediatamente, por lo que su efecto es instantáneo, lo cual también significa que han de aplicarse con frecuencia, ya que su duración no se prolonga en el tiempo. Debido a su facilidad de uso y a lo económico de su precio, son los más demandados para su uso en la jardinería de interior. Como norma general, y dependiendo siempre de cada especie, se han de aplicar cada diez días durante primavera y verano; durante la estación fría bastará con una vez al mes.

ABONO FOLIAR. Es una variedad de los fertilizantes líquidos. Se aplica sobre las hojas, por medio de un pulverizador. Muy demandado para las orquídeas.

LENTA LIBERACIÓN. Su propiedad fundamental es que se van disolviendo poco a poco en el sustrato de la maceta. La presentación comercial varía de unas marcas a otras: puede venderse en bolitas, barras o pastillas. Su efecto puede prolongarse durante meses. Son muy cómodos de utilizar, pero su precio es más elevado que el de los fertilizantes líquidos.

FERTILIZANTES SOLUBLES. Usados en jardinería de exterior y en la agricultura, no son los más idóneos para las plantas de interior.

Al igual que en el riego y en cualquier otra labor de jardinería, resulta tan perjudicial el exceso

Las plantas para uso medicinal, como la chumbera, deben abonarse con fertilizantes naturales.

Una poda correcta obliga a cortes oblicuos, a ras del tronco madre.

como el defecto. Podemos detectar si nuestra planta está abonada en exceso si se produce un rápido crecimiento de tallos, pero éstos son finos y alargados, aparentando no tener fuerza. También se puede detectar el exceso de nutrientes, en este caso nitrógeno, si una planta de flor desarrolla muchas hojas y pocos capullos. En definitiva, con la observación y un aporte selectivo de nutrientes conseguiremos que nuestras plantas crezcan de manera más saludable y que se desarrollen en todo su potencial.

PODAR

La poda es una de las labores más importantes en la jardinería de interior. Con ella no sólo se eliminan las hojas secas y se sanea la planta para mejorar su desarrollo, sino que también se le da forma a nuestro ejemplar, se dirige su crecimiento, se mejora su frondosidad y se mantiene en el tamaño adecuado para el lugar en el que deseamos que siga ubicado.

Tradicionalmente, en plantas de jardín y exterior la poda se realiza al comienzo de la estación fría. Sin embargo, cuando tratamos con plantas de interior cada una tiene su propio calendario de poda, que varía en función de la intención con la que ésta se realice. En plantas de hoja perenne, durante todo el año es necesario ir retirando las hojas que se sequen con una pequeña tijera o con la mano. De esta forma conseguimos que la planta concentre sus energías en los tallos y hojas sanas.

La poda de crecimiento o corrección (guiada) se realiza antes del comienzo de la primavera. Se puede actuar sobre cualquier zona de la planta que consideremos que no está realizando un crecimiento óptimo o que éste no va parejo con el resto, pero atendiendo a unas normas básicas para evitar causar daños a nuestro ejemplar. Los cortes se realizan en oblicuo, quedando la parte más baja hacia el interior de la planta (los brotes retirados nos servirán para proceder a la multiplicación en otras pequeñas mace-

Las drácenas, con troncos que han ido perdiendo sus hojas, pueden ser podadas hacia la mitad del tronco para que en apenas tres meses rebroten de nuevo con más fuerza y frondosidad.

Las hiedras, al igual que otras plantas trepadoras, necesitan al menos una poda al año.

tas). Al menos hay que dejar una yema, a contar desde la parte más cercana al centro de la planta, aunque es mejor dejar dos. Las plantas delicadas necesitan que se selle con cera el corte realizado. He aquí algunos pequeños consejos para distintos tipos de plantas:

1. Los ficus a cuya copa se quiera dar una forma esférica, o cualquier otra planta de follaje que tenga una forma característica (piramidal, rectangular, prismática), necesitan una poda continua. Ésta se realizará una vez al mes para conservar la forma original.

2. Las plantas tropicales como yucas y drácenas, con troncos que poco a poco han ido perdiendo sus hojas, pueden ser podadas de manera drástica hacia la mitad de este tronco para que en apenas tres meses rebroten de nuevo con más fuerza y frondosidad.

3. Las trepadoras y colgantes que han realizado un crecimiento desmedido, especialmente en dos o tres de sus tallos, pueden precisar una poda para conseguir que nazcan nuevos tallos cercanos a la base.

4. Toda planta, cuyas ramas y hojas estén enmarañadas ha de recibir una poda para aligerar su densidad.

5. Algunas plantas, como los geranios o los cóleos, necesitan una poda especial llamada pinzado, que consiste en cortar y sellar la yema terminal de un determinado tallo para estimular el crecimiento lateral de las yemas que se encuentran por debajo de éste. Así se controla que la planta no crezca en altura y sí en frondosidad.

6. Es conveniente retirar con frecuencia las flores pasadas y hojas secas. Algunas pueden colocarse en la parte superior del sustrato de la planta para, junto a un puñadito de paja, formar un mantillo natural.

MULTIPLICAR

La reproducción vegetal es uno de los sistemas más simples y a la vez más complejos de los que existen en la naturaleza. Resulta simple porque sólo existen dos métodos de reproducción: la

Los ficus necesitan una poda al mes para mantener la forma de su copa, ya sea piramidal, rectangular, prismática...

En la naturaleza, la mayoría de las plantas se reproducen gracias a la labor polinizadora de los insectos. En la jardinería de interior hay que buscar otros métodos.

sexual, en la que dos células reproductoras se unen para formar una semilla o espora que al depositarse en tierra fértil dará lugar a un nuevo individuo con características genéticas tomadas de sus progenitores; y la asexual, en la que la propia planta se multiplica dando lugar a otra idéntica a sí misma sin intervención de células reproductivas, ya sea por gemación, por rizomas o estolones o por filamentos. Al mismo tiempo, este sistema resulta complejo debido a la multitud de factores que intervienen, como las circunstancias atmosféricas especiales, la existencia de nutrientes en el terreno o el azar de la propia selección natural, que han de conjugarse para que un nuevo ejemplar llegue a desarrollarse y convertirse en adulto. Desde la más remota antigüedad, el hombre ha tratado de modificar, adaptar y mejorar los sistemas de reproducción vegetal. Hoy en día, al hablar de jardinería, es más correcto usar el término multiplicar, que consiste principalmente en obtener, con la intervención humana, nuevos ejemplares a partir de una planta madura. Existen varios métodos, cada cual válido para unas determinadas especies, con los que conseguir aumentar nuestro pequeño jardín de interior. De una manera esquemática podemos nombrar: semillas, esquejes, tubérculos, rizomas, bulbos, acodos, vástagos, estolones y esporas.

SEMILLAS

La reproducción por semillas es el método más habitual para multiplicar plantas de flor. Es un sistema económico y rápido que, sin embargo, tiene el gran inconveniente de que cada semilla genera una nueva planta de características genéticas completamente distintas a la de sus compañeras. Así, cuando tenemos una buena planta, por resistente o por sana, resulta algo decepcionante no poder conservar estas mismas características en los nuevos individuos. Hoy en día, las semillas que se compran en los viveros y tiendas especializadas han pasado unos fuertes controles que garantizan unas condiciones más que aceptables de selección física y genética.

Las dalias son capaces de reproducirse por esquejes.

Para recolectar semillas de una planta de nuestra propiedad, es imprescindible esperar a que estén maduras. Si se encuentran en un fruto, es probable que antes de tomarlas haya que secarlo al sol. Las semillas sobrantes de un paquete comprado, o las que se obtengan de manera natural, hay que guardarlas en bolsitas de papel: si se usan recipientes de plástico, pueden pudrirse. La época perfecta para la siembra es el comienzo de la estación cálida, aunque hay especies que crecen en cualquier época del año. Para asegurarnos de que la siembra llegue a buen puerto conviene utilizar varias semillas. El lugar idóneo para ello son los semilleros; habitualmente son bandejas de poliestireno expandido o de plástico flexible negro, pero también podemos usar pequeños cuencos o envases de yogur y lácteos. Da igual el recipiente que se use, pero hay que recordar que siempre debe tener agujeros en el fondo para drenar el agua sobrante.

Estos semilleros se rellenarán con un sustrato de turba y tierra al 50% o a tercios turba/compost/perlita. A continuación, se reparten las semillas homogéneamente y se cubre de nuevo todo con una pequeña cantidad de turba. Se aplana todo y se riega ligeramente con un pulverizador. Durante esta época las semillas necesitan a diario pequeñas cantidades de agua. Pasados unos días (10-20) las plantas habrán comenzado a germinar. Cada una de ellas tendrá uno o dos cotiledones, pero en este instante se debe proceder a la aireación o expurgación de las plantas más débiles para desecharlas. Cuando estos plantones hayan crecido lo suficiente como para que broten sus primeras hojas verdes, será el momento de transplantarlos a las macetas. Durante todo el proceso es de vital importancia mantener constante la temperatura, la humedad, el riego y la luz para ayudar a que la germinación se realice de una manera más completa.

Esquejes

Un esqueje es un trozo del tallo o un cogollo que tomamos de una planta para que produzca raíces por la base, obte-

Al comprar semillas hay que mirar la fecha de envasado y la de caducidad; si están pasadas, germinarán muy pocas, o ninguna.

niendo así un nuevo espécimen. La multiplicación por esquejes resulta muy apropiada cuando disponemos de ejemplares sanos y robustos que queremos perpetuar sin modificar su carga genética. La planta nueva es idéntica a la anterior; en realidad es una parte de ella, no hay diferencia alguna. Existen distintos tipos de esquejes en función del tipo de tallo:

Si el corte del esqueje se ha realizado correctamente, en el tallo madre florece una nueva ramificación.

LEÑOSOS. Se obtienen de plantas como la yuca. Se procede a cortar un trozo leñoso del tallo que no supere los 14 cm de largo y en el que podamos observar al menos una yema. El corte será recto en la base. Se entierra 1/3 de su cuerpo en turba y perlita para que enraíce.

SEMILEÑOSOS. Muy usados para propagar plantas como el cóleo o la adelfa. Se toman pequeños trozos de tallos (no más de 12 cm) que contengan más de dos nudos. Se corta la base de cada esqueje justo por debajo de un nudo y se retiran las hojas inferiores. Tras haber preparado una pequeña maceta con mantillo y arena en proporción 1 a 1, se clavan en el sustrato los esquejes (1/3 de su longitud) y se presiona con las manos para compactar la tierra. Se riega la maceta y se tapa con plástico de cocina ligeramente agujereado (de dos a tres punzadas por maceta). El sustrato ha de permanecer siempre húmedo, pero los riegos no han de ser constantes para no estar levantando el plástico que sirve de invernadero. Pasados 45 días, los esquejes habrán desarrollado sus propias raíces y entonces se pueden trasplantar a macetas de mayor tamaño y recibir los cuidados habituales de cualquier planta.

ESQUEJES DE HOJA. Es curioso admirar la enorme capacidad de regeneración del reino vegetal. Algunos tipos de plantas, como las begonias, pueden multiplicarse a partir de una simple hoja. Para ello se toman las hojas, con los pecíolos incluidos, y se introducen en pequeños semilleros con compost de turba. Se resguarda del sol, y en menos de seis semanas habrán brotado raíces de la base de los pecíolos.

La cala tiene semienterrado, y en posición horizontal, el rizoma. La planta puede ser multiplicada si se desentierra una parte del rizoma y se corta en trozos, que se plantan en otras macetas.

TUBÉRCULOS

Los tubérculos son un tipo especial de raíces cuyo tallo subterráneo contiene unas células dedicadas al almacenamiento de sustancias de reserva. También por medio de estas raíces podemos proceder a la multiplicación de las plantas que las producen. Para ello, normalmente hay que esperar hasta el final de la estación cálida, una vez que la planta se haya secado. En ese momento se desentierran los tubérculos, se limpian y se almacenan envueltos en papel secante hasta que finalice la estación fría. Una vez llegada la primavera se corta la raíz tuberosa en dos o tres partes y cada una de ellas se planta de nuevo. De esta forma nacerá una nueva planta por cada trozo de tubérculo plantado.

RIZOMAS

Las plantas como la cala se caracterizan por tener semienterrada, y en posición horizontal, una parte de su tallo que se denomina rizoma. De él brotan anualmente pequeñas raíces. La planta puede ser multiplicada si se desentierra una parte del rizoma y se corta en trozos, que se plantan en otras macetas.

BULBOS

Los bulbos son yemas gruesas semienterradas que almacenan sustancias de reserva en algunas plantas. Gracias a ellos, su multiplicación es muy simple. Basta con esperar mes y medio desde que la planta pierde sus hojas. Entonces se desentierran ligeramente, sin extraerlos, y se procede a limpiarlos (con agua y funguicida). Una vez secos se almacenan en un lugar fresco hasta el comienzo de la siguiente estación cálida, momento en que se plantarán en sendas macetas.

ACODOS

La multiplicación por acodos se consigue tras hacer que un tallo de la planta madre comience a desarrollar raíces antes de que haya sido separado de ésta. Una vez las raíces se desarrollan y pueden ser viables se procede a la separación de los dos plantones.

La amaryllis es un ejemplo de planta
que se reproduce por bulbos.

Existen diversos tipos de acodos:

ACODO SIMPLE. Se realiza en tallo
joven y flexible. Se han de eliminar las
hojas de la parte final del tallo. Se realiza
un corte, sin separar por completo, en la parte central del tallo.
Esta zona se entierra en una maceta adyacente, a muy pocos centímetros de profundidad.
La parte final del tallo ha de sobresalir del sustrato. Se conseguirá que la zona enterrada
comience a desarrollar raíces, aunque para ello necesita que el sustrato se mantenga
siempre húmedo. Pasados de dos a tres meses, puede separarse de la planta madre realizando el corte a la altura del tallo de la planta nodriza.

ACODO MÚLTIPLE. Cuando el tallo joven y flexible además es largo y sano, se pueden realizar varios acodos al mismo tiempo; para ello, se disponen varios tiestos de pequeño
tamaño alrededor de la maceta donde se encuentra la planta madre. Es importante señalar que cada trozo de tallo que vaya a dar lugar a un acodo ha de tener al menos una yema
y una hoja que sobresalgan del sustrato.

ACODO AÉREO. Se realiza en plantas de fuertes tallos y en las que tienden a trepar o colgar. Se trata de realizar una incisión en un tallo sano para que una vez cubierto de turba
proceda a desarrollar raíces por esa zona. Su peculiaridad reside en que la parte cortada
no va a ser enterrada. A su alrededor se ha de construir un cucurucho de plástico semi-
rrígido que sobrepase en altura la zona de la incisión y que a la vez esté bien sujeto al tallo
por la parte inferior. Una vez asegurado, se
espolvorea la zona del acodo con polvo de
hormona de enraizar y se llena el cucurucho
de turba. Esta operación ha de realizarse con
sumo cuidado para no romper el recipiente
que hemos creado alrededor de la incisión.
En menos de dos meses, la zona habrá desarrollado raíces y podrá ser cortada a la altura de la primera yema contando desde el tallo
principal.

Para afianzar el acodado aéreo, utilizar musgo
sphagnum y rodearlo con plástico o aluminio.

VÁSTAGOS
No todas las plantas aceptan esta forma tan
simple, pero efectiva, de multiplicación.
Entre las más conocidas podemos destacar

Las esporas de los helechos se recogerán con sumo cuidado durante la época de desprendimiento, algunas de ellas requieren ser humedecidas y limpiadas.

el papiro, la maranta, la cinta, la anglaonema y el anturio. Consiste en sacar la planta de la maceta en la que se encuentre plantada y dividirla en dos mitades en sentido vertical, cortando tanto el tallo como la zona de las raíces. Cada una de estas partes se introducirá en una nueva maceta con composto de turba y perlita. Se asienta la tierra con las manos y se riega a diario durante una semana.

ESTOLONES

Los estolones son tallos con gran capacidad de generación de raíces que nacen en algunas plantas, como las cintas o los helechos. Para su multiplicación se han de tomar estos tallos durante la época de crecimiento, cortarlo, y plantarlo en una nueva maceta.

ESPORAS

Los helechos, a diferencia de otras plantas, no poseen flores con órganos reproductores, ni por tanto semillas o frutos. Su multiplicación se realiza por esporas. Al final de la estación fría, las hojas de los helechos se llenan de unas pequeñas manchas marrones (soros) que se desprenden y caen a la tierra. Una vez enterrados, si se dan las condiciones de humedad y temperatura ideales, crecen unos pequeños plantones (o prótalos) con órganos masculinos y femeninos que se fecundan y dan lugar al nuevo helecho. Para una buena reproducción es necesario obtener la mayor cantidad posible de soros durante el período de desprendimiento. Para ello resulta muy útil colocar debajo de las hojas más frondosas una pequeña bolsita de papel en la que poco a poco irán cayendo todas estas pequeñas esporas.

TRASPLANTAR

Las plantas, al igual que las personas y otros seres vivos, van creciendo según pasa el tiempo. Al igual que a los niños se les queda pequeña la ropa, a los vegeta-

La maranta se reproduce por vástagos, que consiste en dividir la planta en dos mitades en sentido vertical, cortando tallo y raíz.

En los viveros, las plantas crecen en macetas que no corresponden con su tamaño, cuando las compremos hemos de trasplantarlas a una que se adecúe a su tamaño (generalmente 3 cm mayor del que tenía cuando nos la vendieron).

les les ocurre igual con las macetas. Cuando alcanzan un determinado nivel de crecimiento, necesitan un espacio más amplio para desarrollarse. Las raíces, los tallos, los rizomas y en general todas las partes de una planta crecen de un año a otro, incluso algunas triplican su tamaño en pocos meses; por eso es conveniente cambiar la maceta de cada planta una vez cada año. En algunas ocasiones, y dependiendo de la especie con la que estemos trabajando, no será necesario aumentar el tamaño del tiesto, pero sí que resulta oportuno recortar las raíces y sanear la parte del tallo que se encuentra enterrada.

Sin embargo, una maceta grande demasiado pronto no es una garantía de crecimiento ni de evitar enfermedades. El exceso y el defecto de tamaño, por paradójico que resulte, causan en las plantas los mismos efectos: caída de hojas, crecimiento retardado de flores y tallos y pérdida de vigor en el ejemplar. Cuando una planta vive en una maceta pequeña, sus raíces no tienen sustrato suficiente del que obtener los nutrientes con los que desarrollarse; por el contrario, cuando habita en una que es demasiado grande toda la fuerza del desarrollo va aplicada a producir raíces, encontrándonos así con una planta pequeña en su parte visible y desmesuradamente grande en la que está enterrada.

El cambio de maceta ha de realizarse paulatinamente. Cada año se puede aumentar, en las plantas que lo necesiten, el tamaño en un ratio de 2 a 5 centímetros. Si la maceta que vamos a utilizar ha albergado con anterioridad otro ejemplar, ha de estar muy bien lavada y desinfectada para garantizar que no haya bacterias o gérmenes que ataquen a la nueva inquilina.

Para proceder al trasplante, hay que empezar por sacar la planta de su maceta original, con

Las plantas enfermas no han de ser trasplantadas. Se ha de esperar a que el tratamiento aplicado surta efecto y la enfermedad remita.

sumo cuidado para no dañar las raíces. Una vez fuera del tiesto, se ha de sacudir ligeramente para que pierda la capa de tierra que se encuentra en la parte superior (está gastada y sin nutrientes). Se procede entonces a expurgarla retirando raíces secas así como la tierra que esté compactada o arcillosa; de esta forma la planta queda limpia y lista para un nuevo año. El cambio se realiza siguiendo los consejos explicados durante el proceso de plantación (drenaje, tipo de sustratos, etc.).

LIMPIAR

En el polvo que se acumula en las hojas, especialmente las de plantas cultivadas por su follaje, crecen millones de parásitos y ácaros que dedican todos sus esfuerzos a dañar nuestros ejemplares. Sin embargo, la limpieza resulta indispensable no sólo desde el punto de vista preventivo de enfermedades, sino también por la vertiente decorativa que han adquirido las plantas de interior. Para limpiar la mayoría de los ejemplares basta con pasar una vez a la semana un paño de algodón ligeramente humedecido por cada una de sus hojas. De esta forma se retira el polvo y se le da humedad a la planta. Si el agua de la zona en la que vivimos es dura, resulta conveniente repetir la operación con un paño seco para retirar los restos de cal que se concentran en las hojas dando lugar a manchas de color blanquecino.

Las plantas pequeñas, si toleran bien el exceso de humedad, se limpian muy fácilmente si las tomamos por la maceta e introducimos sus hojas en un barreño con agua y unas gotitas de limón. La limpieza no se limita a eliminar el polvo acumulado: es necesario también retirar las hojas y las flores marchitas. Dan a la planta un aspecto poco cuidado, pueden caerse y ensuciar el suelo, o extender malos olores.

CURAR

Parásitos, infecciones, déficit mineral… las plantas, como todo ser vivo, pueden enfermar. Al adquirir un nuevo ejemplar es conveniente dedicar unos minutos a revisar sus hojas, tallo y flores para cerciorarnos de que no padecen ningún mal. En los vegetales, las situaciones de riesgo vital las producen las infecciones (micosis, bacteriosis, virosis, etc.) y los ataques parasitarios de origen animal.

Las plantas de interior acumulan polvo y sustancias nocivas. Los ficus y otras especies resistentes se pueden limpiar con un trapo de algodón.

Una mala limpieza de la planta o el contacto con animales ayuda a la propagación de los dañinos ácaros.

INFECCIONES

Hongos y virus son los principales agentes creadores de infecciones en las plantas de interior. Los virus suelen habitar en las tierras que no han sido esterilizadas. Los hongos aparecen por las condiciones atmosféricas o por la cercanía de otras plantas o animales, y son mucho más difíciles de evitar. A continuación se describen las infecciones más comunes en las plantas de interior:

MOHO GRIS. Aparecen manchas pardas sobre las hojas y tallos, que se recubren después de un pequeño velo gris-blanco. Hay que retirar las hojas del tallo que estén dañadas y con una pequeña espátula limpiar las zonas del tallo afectadas. Se aplicará después un fungicida sistémico.

OIDÍO. Tallos y hojas aparecen con un aspecto harinoso; las hojas toman un color pardo, se enrollan y mueren. Se retiran las hojas enfermas y se pulveriza con azufre líquido.

MILDIU. Aparece una pelusa blanquecina en el envés de las hojas, junto con manchas difusas amarillas en el derecho de la hoja. La planta muere en poco tiempo. Hay que tratar la planta con sulfato de cobre.

ROYA. Las manchas pardo-rojizas de hojas y tallos delatan a esta infección. Las zonas atacadas mueren. El tratamiento se realizará con azufre en polvo.

ANTRACNOSIS. La humedad y las altas temperaturas favorecen la aparición de este hongo, que si bien no afecta de forma vital a la planta, produce daños estéticos considerables. Las hojas pierden color en la punta y aparecen rayas marrones en el envés. Se trata con fungicida sistémico y suspendiendo el riego de la planta durante diez días como mínimo.

BOTRITIS. Producida por un hongo que habita en zonas poco ventiladas. Las hojas, frutos y flores de la planta

La botritis llega a las plantas que se encuentran en una estancia con poca ventilación.

comienzan a pudrirse tras aparecer un moho gris que las cubre. Se puede terminar con esta infección con fungicida sistémico y mejorando la ventilación de la maceta.

PODREDUMBRES. El tallo, la raíz y algunas hojas son susceptibles de pudrirse por efecto de unos hongos que habitan en determinados compost. Para terminar con ellos basta con sacar la planta de su maceta, sanear las zonas afectadas y emprender un tratamiento con fungicidas y cobre.

Para evitar la aparición de pulgones se puede enterrar en cada maceta un diente de ajo.

VIRUS. Las infecciones víricas son realmente difíciles de tratar. Los síntomas son variados y las posibilidades de cura muy escasas.

PARÁSITOS. Existen numerosos depredadores animales que actúan sobre las plantas. Estos parásitos pueden convertirse en verdaderas plagas que terminen con la vida de nuestros ejemplares. Cuando se detecta su aparición, normalmente se está todavía a tiempo de aplicar las curas necesarias para que la planta no resulte dañada. Si la plaga está localizada, se pueden retirar las zonas afectadas y esperar unos días para comprobar que los parásitos han desaparecido y evitar la aplicación de insecticida. Algunas de las plagas más comunes las producen:

MOSCA BLANCA. Fácil de reconocer porque son minúsculas mosquitas que revolotean alrededor de las hojas, posándose en su envés para chupar la savia. Aplicando un simple insecticida la plaga desaparece.

PULGONES. Es una de las plagas más comunes. Se trata de unos minúsculos insectos que, a simple vista, pueden parecer pequeñas manchas sobre las hojas y que se alimentan de la savia de las plantas. Excretan un líquido dulce que, además de quemar hojas enteras del ejemplar, atraen a las hormigas. El remedio más eficaz es la aplicación de un insecticida específico.

COCHINILLAS. Estos insectos, que pueden ser detectados a simple vista en las zonas de unión de tallo y hojas, se alimentan de la savia de la planta. De manera inmediata aparecen también en algunas hojas unas zonas enmohecidas que no son síntoma de otra

La constante humedad de las zonas aéreas de la planta puede provocar la aparición de mildiu, la antracnosis o el oidío.

infección, sino que son el lugar donde se ha producido la puesta de huevos. Para evitar la propagación hay que aislar la planta y retirar de ella las zonas más afectadas. El tratamiento se realiza con un insecticida específico.

LECANINOS. La primera infección de lecaninos siempre es confundida con cochinillas. Aparecen en las mismas zonas de la planta, pero si se observa detenidamente, se aprecia que éstas adquieren un color marrón oscuro; además, pasados unos días segregan un líquido que convierte la hoja en pegajosa. El tratamiento consiste en la aplicación de un insecticida específico para esta enfermedad.

ARAÑA ROJA. En una primera fase estos pequeños ácaros pueden ser detectados con una lupa en el envés de las hojas. Más tarde, descubriremos la infección cuando las hojas comiencen a enrollarse en torno al nervio central y mueran. La plaga puede ser eliminada con insecticidas de amplio espectro o con un truco casero pero realmente efectivo: situar cerca de la planta un humidificador durante uno o dos días. La araña roja no puede vivir en ambientes húmedos.

MOSQUITO DEL SUELO. La planta pierde fuerza paulatinamente, deja de desarrollarse y comienza un lento aletargamiento. Las raíces están infectadas y la única forma, y no siempre efectiva, de salvar el ejemplar consiste en sacarlo de la maceta, lavar sus raíces en agua con un poco de vinagre, y pulverizarlas con insecticida. El compost ha de ser cambiado por completo.

NEMATODOS. Son gusanos (anélidos) que atacan a una gran variedad de plantas en sus partes subterráneas. En condiciones óptimas pueden tener una generación nueva cada mes. La planta pierde fuerza, comienza a cambiar de color y a marchitarse. Se trata con nematicidas a base de bromuro de metelio y dicloropopeno.

La araña roja deposita una sustancia que trasforma en amarilla la zona en la que cae.

ACUÁTICAS Y PALUSTRES

Las plantas acuáticas o palustres (de ribera de río) son un grupo de vegetales que habitualmente no aparecen en las publicaciones dedicadas a las plantas de interior. Para esta enciclopedia hemos considerado útil incluir un pequeño grupo que, por sus especiales características, pueden cultivarse en macetas, pequeños estanques interiores o acuarios. Hoy en día es frecuente encontrar en algunas casas grandes terrarios, enormes peceras y fantásticas piezas de cristal. Todos estos objetos son el hábitat perfecto para algunas de las plantas que a continuación se presentan. El nexo común de los ejemplares que este capítulo muestra es su procedencia: zonas pantanosas, acuíferos y humedales. De esta forma, es fácil deducir que el principal problema que nos encontraremos en su cultivo será mantener alta la humedad en sus raíces evitando, por otra parte, que lleguen a pudrirse. Otros ejemplares tienen la capacidad de flotar; por lo tanto, se puede prescindir de la maceta y colocarlas en jarrones, acuarios o recipientes con agua, creando así nuevos aspectos decorativos y adaptándolas mejor a su situación de planta de interior.

Existe una subdivisión dentro del grupo que ahora tratamos. De forma general los botánicos diferencian entre las de aguas profundas, como nenúfares o flor de loto; flotantes, del tipo jacinto de agua o lechuga de agua; oxigenadoras, especialmente aptas para acuarios; y palustres, como pueden ser el lirio espadañal, la oreja de elefante o el calar.

Las plantas acuáticas, como el nenúfar, pueden desarrollarse también de manera controlada en espacios con agua, como peceras, acuarios o recipientes de cristal.

CALTHA PALUSTRIS

HIERBA CENTELLA

Esta especie, perteneciente a la familia de las ranunculáceas, se utiliza para adornar pequeños estanques interiores o algunas peceras y estanques de jardín que tengan poca profundidad. Es originaria de la Península Ibérica. Sus tallos, que son huecos, pueden alcanzar los 50 cm de altura. Se la reconoce con facilidad por sus hojas brillantes, subredondas y reniformes. Las flores brotan de uno a tres grupos por cada pie de planta. Su color es amarillo dorado y pese a lo que a primera vista parezca, no tiene verdaderos pétalos sino de cinco a seis sépalos por flor.

NECESIDADES

- LUZ. Su mejor aliada es la semisombra. Esta planta, aunque se encuentra en estanques y lagos, no tolera la exposición directa al sol. De ahí su idoneidad para ser colocada en acuarios y áreas acuáticas decorativas de interior.
- TEMPERATURA. Tolerancia alta a los cambios de temperatura. No da problemas con el calor ni se resien-

te con el frío. Se recomienda mantenerla en un ambiente de 12 a 22 °C. Cuando el estanque interior no está acristalado o no tiene una temperatura independiente se deben evitar los cambios bruscos producidos por la calefacción y el aire acondicionado.

- HUMEDAD. Es una planta acuática que no necesita una especial atención para controlar su humedad. Durante la época que vive en el agua se autorregula y el tiempo que está en tierra basta con evitar el ambiente seco del interior de una casa con calefacción.

CUIDADOS

- PLANTACIÓN, TRASPLANTE Y PODA. Su época de floración es la primavera. La manera más común para su multiplicación es por división o mediante semillas. Si la planta se cultiva directamente en el agua, cuando llega el otoño se debe reducir drásticamente el nivel de agua del estanque o acuario y cubrir la base de la hierba centella con turba. A finales del invierno del año siguiente se procederá a retirar esta turba y a llenar de agua el lugar en el que se encuentra.

Sus flores, de un amarillo intenso, no están formadas por pétalos sino por cinco o seis sépalos.

Durante varios meses al año la planta permanece semienterrada en turba para favorecer su crecimiento y, si está a la intemperie, evitar las heladas del estanque.

- NUTRICIÓN Y SUPLEMENTOS. Administrar fertilizante líquido mezclado con el agua de riego cada dos semanas. La turba con la que se cubre la planta debe de ser abonada.

- RIEGO. Durante el tiempo que la planta esté cubierta de agua ha de suspenderse el riego. Los meses que se encuentra semienterrada en turba éste se realizará una vez por semana y con poca cantidad de agua.

Semisombra	Riego escaso	12-22 °C

COLOCASIA

OREJA DE ELEFANTE

Originaria de las Indias Orientales, es llamada oreja de elefante por la forma que presentan sus hojas al crecer. De carácter perenne, sus raíces están provistas de tubérculos. Esta planta puede desarrollarse hasta alcanzar 5 m de altura. Sus hojas ovales, acorazonadas y de un color verde azulado, en ocasiones miden más de 90 cm. Las flores son insignificantes y apenas se aprecian. Se utiliza para adornar estanques y acuíferos interiores de profundidad media, pero también puede plantarse en terrarios de gran capacidad.

NECESIDADES
- LUZ. Agradece los lugares con poca

La oreja de elefante agradece la temperatura cálida y constante creciendo hasta alcanzar los 5 m de altura.

luz. Sus hojas se queman, perdiendo color y vitalidad, con la exposición directa al sol. Las esquinas umbrías de un pasillo o los rincones en semisombra de un gran salón son las localizaciones perfectas para esta planta.
- TEMPERATURA. Calidez y poca variación. La oreja de elefante necesita una

Una importante característica de la oreja de elefante es la presencia de oxalato, una proteína que al quebrar los tallos o las hojas brota en forma de látex y causa irritaciones cutáneas. La gravedad de la irritación puede ser severa si se ingiere el líquido o se mastican las hojas.

temperatura superior a los 17 °C. Tolera bien las altas temperaturas, pues es originaria de zonas cálidas. En la época más fría del año pierde las hojas, pero si la temperatura no ha bajado en exceso y se ha mantenido sin cambios bruscos volverá a recuperarlas en pocos meses.

- HUMEDAD. Esta es la variable que con mayor atención hay que vigilar. La planta necesita de una gran humedad ambiente. Si ha sido colocada en agua ella regula su propio nivel. Al hallarse plantada en tierra hay que prestarle atención, pues en la época fría la calefacción hace que el ambiente se reseque y en la época cálida, si no se vive en regiones costeras, la humedad desciende. Para corregirlo se pulverizarán las hojas a diario.

CUIDADOS

- PLANTACIÓN, TRASPLANTE Y PODA. Para realizar el transplante con tallos se toma uno subterráneo que posea yemas, y una vez que ha secado la herida se planta horizontalmente a 15 cm de profundidad. Si el trasplante se realiza con tubérculos, se toma uno de ellos, se

deja secar al aire libre sin exposición directa al sol durante un mes, se parte por la mitad y se planta en una maceta de tamaño medio. El cambio de terrario o maceta ha de realizarse cada dos años, al igual que el saneamiento de las raíces.

- RIEGO. Frecuente durante la época cálida y escaso, una vez por semana, en la época fría. Las raíces se pudren si se hidrata en exceso. Para comprobar la conveniencia del riego se introduce un palito de madera en la zona central de la maceta y al sacarlo se comprueba si la tierra adherida es muy húmeda o está semiseca.

- NUTRICIÓN Y SUPLEMENTOS. Fertilizante líquido en la época de floración y durante toda la estación cálida. Se administrará cada quince días con el riego.

| Semisombra | Riego moderado | + de 17 °C |

CYPERUS PAPYRUS

PAPIRO

Es un vegetal perenne, con tallos triangulares de hasta un metro de altura cuando son criados en maceta. En su parte superior termina en umbela, pequeños tallos que nacen de un mismo punto del tronco común y se van separando formando un gorro o paraguas. Sus inflorescencias son insignificantes y se dan reunidas en pequeñas espigas que nacen de la umbela del tallo.

A parte de sus características morfológicas, esta planta es conocida por el uso que se daba a sus tallos en el antiguo Egipto. Así, Plinio el Viejo, en su *Historia Natural*, explicaba cómo se elaboraban los rollos de papiro en el mundo antiguo: se tomaba el tallo fresco del papiro y se seccionaba en trozos más pequeños que, a su vez, sufrían un completo proceso de elaboración por el que se extraían finas láminas, que debían mantenerse en remojo. Más tarde se disponían sobre una tabla humedecida y se superponían en dos filas perpendiculares. Para finalizar se unían bataneándolas con un instrumento contundente de madera que conseguía liberar una sustancia propia de la planta que actuaba como pegamento natural. El resultado era una hoja que, tras haber sido prensada y secada al sol, sufría un proceso de pulido con la finalidad de conseguir una superficie totalmente lisa. Estas hojas eran unidas por el lateral utilizando un pegamento formado por agua, harina y vinagre. El resultado era el rollo de papiro. Gracias a esta planta la civilización egipcia y otras muchas del Mediterráneo pudieron legar a la posteridad gran número de tratados, escritos e historias.

NECESIDADES

- LUZ. Si bien en el exterior es planta de pleno sol, al ser cultivada en interiores se ha de buscar un sitio en el que la luz no le dé directamente.
- TEMPERATURA. La planta proviene de climas calurosos como el que se da en el Delta del Nilo, pero se ha adaptado con facilidad a los climas suaves que no tengan temperaturas inferiores a los 10 °C en su época más fría.
- HUMEDAD. Requiere especial atención cuando lo encontramos en maceteros; la tierra ha de permanecer siempre húmeda y no es conveniente pulverizar los tallos.

De sus tallos tratados, los antiguos egipcios obtenían los rollos de papiro que los escribas usaban para dejar constancia de las leyes imperiales.

El papiro crece en acuíferos soleados de baja profundidad.

CUIDADOS

- PLANTACIÓN, TRASPLANTE Y PODA. Para su multiplicación existen dos sistemas distintos. Si se hace por división de los tubérculos, se corta uno de los tallos hasta la base y con el cuchillo se separa del borde de la maceta, se apar-

ta del resto de la maraña y se planta en otro recipiente. Es conveniente efectuar esta operación cuando la planta es aún joven. Si la reproducción se realiza por esquejes, se toman los que miden de 10 a 12 cm, se colocan directamente en el agua hasta que broten y se replantan en tierra.

- RIEGO. Abundante. El riego en maceta ha de ser continuo. Al menos una vez al día en la época más calurosa.
- NUTRICIÓN Y SUPLEMENTOS. Abonar una vez al mes durante el período de crecimiento con un fertilizante líquido equilibrado 1-1-1.

| Semisombra | Riego abundante | + de 10 °C |

EDYCHIUM GARDNERIANUM

EDICHIO

Originario del Himalaya, el *edychium gardnerianum* fue introducido en Europa muy tardíamente, a principios del siglo XIX, por los expedicionarios que lo encontraban en las zonas húmedas y bajas de dicha cordillera asiática.

Es una planta herbácea, que puede alcanzar de 1 a 2 metros de altura. Sus hojas son lanceoladas y con un fuerte nervio central. Las flores aparecen en forma de una espiga grande que se sitúa al final del tallo, sus estambres son ro-

Las flores amarillas contrastan con los estambres rojos creando un hermoso conjunto alrededor de la espiga central.

jos, largos y vistosos, y sus pétalos amarillo fuerte. Se usa para adornar el borde de estanques exteriores y en maceta para tapar huecos sin uso de la casa.

NECESIDADES

- Luz. Necesita de la luz directa, puede adaptarse a la semisombra pero es preferible siempre un lugar soleado.
- TEMPERATURA. Su mayor enemigo son las heladas. La temperatura ha de ser menor de 26 °C y en la época fría ha de colocarse en zonas de la casa que no estén abiertas para evitar que se hielen cuando el termómetro baja de los 0 °C.
- HUMEDAD. Al ser una planta palustre (de pantano) necesita una alta y constante humedad. En la época fría, al encontrarse en el interior de la casa se han de pulverizar sus hojas, nunca las flores, para evitar el descenso de humedad producido por la calefacción.

CUIDADOS

- PLANTACIÓN, TRASPLANTE Y PODA. Se ha de plantar en tierra mezclada con turba y arena de grano gordo. La multiplicación se consigue por las semillas o por los rizomas. La manera más sencilla de hacerlo es tomar un tallo subterráneo del que broten varias raíces y enterrarlo en una pequeña maceta con turba y abono orgánico. Cuando el tallo sobresalga más de 15 cm de la mace-

ta hay que cambiarla a una de mayor tamaño, donde estará todo el primer año.

- RIEGO. Abundante durante todo el año. Tres y cuatro veces por semana en época cálida y dos riegos por semana durante la estación fría.
- NUTRICIÓN Y SUPLEMENTOS. Abono floral pasada la primera fase de floración para mantener la fuerza y color.

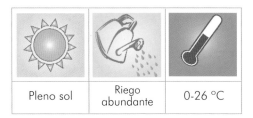

| Pleno sol | Riego abundante | 0-26 °C |

El edichio es una planta acuática de la ribera de estanques y riachuelos apta para cultivar en macetas y decorar interiores.

EICHORNIA CRASSIPES

Sus flores nacen de una espiga central
y aparecen en tonos azulados y malvas.

JACINTO DE AGUA

Introducida en Europa en el siglo XIX, esta especie es originaria de América Central y del Sur. Debe su nombre al ministro prusiano Eichorn, que quedó cautivado por los usos militares que se podían dar a una bella planta como ésta. El jacinto de agua es considerado mala hierba en sus regiones de origen, y fue Eichorn quien descubrió el porqué de tal afirmación. Su rápido crecimiento y su extensión inmediata sobre la superficie acuática, creando láminas vegetales, conseguía taponar en poco tiempo una vía fluvial. Así, su crecimiento indiscriminado podía evitar el paso de pequeñas embarcaciones de río o colapsar presas y saltos de agua.

Hoy en día el jacinto de agua es usado en pequeños estanques para proteger a los peces de las heladas gracias a

Es una planta invasora peligrosa si alcanza lagos o ríos. Ha de cultivarse en acuarios, jarrones o estanques de interior.

la capa vegetal que crea. También goza de gran fama entre los poseedores de acuarios, pues sus raíces sumergidas son un excelente lugar para que los peces desoven y maduren las crías. No hay que olvidar su uso decorativo para interiores; colocando un simple plantón en grandes jarrones u otros recipientes llenos de agua se logra un efecto original y atractivo. En el aspecto morfológico es una planta curiosa; carece de tallo y sus raíces, que permanecen sumergidas, están provistas de un rizoma emergente muy particular en el que se abre un rosetón de hojas con una superficie esponjosa, hinchada con apariencia de globo, que forma una vejiga llena de aire mediante la cual se mantiene a flote. Las hojas que se encuentran sobre el agua son redondeadas y provistas de pequeñas hinchazones que facilitan la flotación. En la época más cálida produce unas espigas de las que brotan las flores de tonos morados y azulados. Esta planta está clasificada como una de las cien especies más invasoras. Varios países tienen prohibida su venta porque se extiende sin reparo por ríos y lagos pudiendo causar pérdidas económicas importantes a los lugareños.

NECESIDADES

- Luz. Semisombra. La exposición directa al sol en la época más cálida marchita sus flores.
- Temperatura. Entre 20-30 °C es la temperatura que debe rodear al jacinto de agua. Ésta es fácil de mantener si se encuentra en jarrones, en el interior o en acuarios. Los plantones ubicados en estanques exteriores han de retirarse a garajes o invernaderos durante la época de frío para evitar la congelación.
- Humedad. En las plantas colocadas en jarrones en el interior se pulverizará agua sobre las hojas una o dos veces por semana cuando se encuentre encendida la calefacción.

CUIDADOS

- Plantación, trasplante y poda. Mediante división de los rizomas. Durante la época de floración se reproduce fácilmente por medio de estolones que produce la planta madre.
- Riego. No es necesario al estar en contacto permanente con el agua.
- Nutrición y suplementos. La planta, aún helada, puede recuperarse para el año siguiente si durante la época fría se transplanta a un cubo con una base de turba y agua tibia en el que se añada fertilizante líquido.

Semisombra	Sin riego al estar en agua	20-30 °C

IRIS PSEUDACORUS

Lirio espadañal

Pocas personas saben que, para la mayoría de las culturas que se han dado en el Mediterráneo, los lirios son una especie con profundos valores místico-religiosos, normalmente asociados al tránsito de la muerte, al más allá. Hoy en día estas plantas adornan cementerios de las zonas de costa del Mediterrá-

neo. El lirio espadañal es una planta espontánea de la Península Ibérica. Perenne y de raíz carnosa, su tallo casi cilíndrico puede alcanzar 120 cm de altura cuando se encuentra salvaje en lagos y estanques. Posee unas bonitas hojas basales, o sea, que nacen de la base de la planta, y tienen la

Su flor, símbolo de misticismo en el Mediterráneo, es amarilla y con vetas rojizas.

En su estado salvaje se encuentra en grandes concentraciones en los márgenes de ríos y lagos.

misma altura que el tallo. Sus flores son amarillas con un veteado más oscuro, que llega a ser incluso rojizo, en la parte interior del pétalo.

NECESIDADES

- Luz. Ha de colocarse en semisombra aunque en el interior de una casa puede estar más horas expuesta al sol. En un estanque exterior ha de estar al resguardo de otras plantas más altas.
- Temperatura. Al ser autóctono de la ribera mediterránea, su temperatura debe de ser suave, de 14 a 28 °C. Durante la época más fría hay que evitar las heladas resguardándolo en habitaciones de la casa que sean cálidas, pero sin acercarlo a fuentes de calor,

como radiadores o aire acondicionado.
- Humedad. La ubicada en maceta ha de tener una humedad alta en la tierra y en las hojas. Se requiere humedecer la tierra a diario en la época cálida y las hojas de dos a tres veces por semana en la estación fría si el ambiente de la casa es seco.

CUIDADOS

- Plantación, trasplante y poda. Al terminar la temporada cálida, el lirio espadañal que se encontraba en el estanque interior ha de ser trasplantado a maceta para pasar el invierno en una casa o invernadero. La maceta se preparará, en todo caso, con turba fresca y paja en la parte superior, manteniéndola así hasta el fin de la estación fría.
- Riego. Ha de ser continuo pero en muy pequeñas cantidades. Durante la época fría y mientras está cubierta con turba y paja, el riego se restringirá a una vez por semana.
- Nutrición y suplementos. En invierno, cuando la planta está en hibernación, se añadirá una cucharada de abono nitrogenado entre la paja.

| Semisombra | Riego escaso | 14-28 °C |

NELUMBO NUCIFERA

FLOR DE LOTO

La flor de loto, también conocida como loto sagrado, nelumbo, loto indio, loto de Egipto o nenúfar de China, es la flor nacional de la India. Allí está considerada como flor sagrada y ocupa una posición singular en el arte y la mitología. Simboliza pureza, belleza, majestuosidad, gracia, fertilidad, abundancia, riqueza, sabiduría y serenidad. Antiguamente se fumaba o se consumía en forma de té, con la idea de que se experimentaría un sentimiento de alegría que inundaba cuerpo y mente. Los tubérculos que se forman en el invierno debajo de la planta, sirven como comida a las tribus indígenas de América y Japón. Es una planta rizomatosa de más de 2 m de altura. Posee algunas hojas que flotan en el estanque o lago donde se encuentra; el resto brotan del tallo por fuertes pedúnculos. Son grandes, de forma entre circular y ondular, con los bordes festoneados y de un verde más pálido que el resto de la planta. Las flores son solitarias, grandes, perfu-

madas y con numerosos pétalos coloreados.

Algunas variedades son:
- *Nelumbo nucifera alba striat*, produce flores, grandes, aromáticas y en forma de cáliz. Miden 15 cm de ancho y presentan el reborde de color carmín. Florece en la época más cálida.
- *Nelumbo nucifera alba grandiflora*, produce flores de color blanco puro.
- *Nelumbo nucifera rosa plena*, produce flores dobles, de color rosa suave, y de hasta 30 cm de diámetro.

Acuarela de Alexander McDonald en *A Complete Dictionary of Practical Gardening* (1807), también en *The New Flora Britannica* (1812) y *The New Botanic Garden* (1812). (Cortesía de la Biblioteca Botánica, Museo Británico de Historia Natural.)

NECESIDADES

- **Luz.** A pleno sol, ideal para colocar en estanques de zonas interiores sin techo y en áreas en las que la luz aparezca durante más de la mitad del día.
- **Temperatura.** Clima templado, resiste los inviernos suaves. Han de evitarse las heladas y las temperaturas superiores a 28 ℃.
- **Humedad.** Media. Se regula de manera autónoma si se encuentra en un estanque.

Esta planta ya aparecía en *La Odisea* de Homero cuando Ulises y su tripulación desembarcaron en la Isla de los Comedores de Loto.

CUIDADOS

- **Plantación, trasplante y poda.** Al plantar la flor de loto por la vía de semillas, se han de raspar éstas con papel de lija hasta penetrar la corteza para luego sumergirlas en agua. Las semillas se hincharán en unos tres días, germinarán pasada una semana y crecerán rápidamente durante los quince días siguientes. Después de este tiempo se pasarán a un gran recipiente de al menos 10 cm de diámetro, que permita el crecimiento de la raíz en todas direcciones, colocándola 15 cm por debajo de la superficie del agua. Las hojas aparecerán dentro del mes y la planta florecerá en la segunda temporada.
- **Riego.** En la época de transplante, y mientras se encuentra en maceta, el riego será diario y en pequeñas cantidades.
- **Nutrición y suplementos.** La tierra donde se encuentre plantada la flor de loto ha de tener una base de turba mezclada con hojas y fertilizante orgánico.

Pleno sol	Riego diario	0-28 ℃

NYMPHAEA ODORATA

Nenúfar perfumado

El nenúfar es una de las plantas más bucólicas que se pueden encontrar en el reino vegetal. Descubierta

Esta flor de la *nimphaea odorata rubra*, de color blanco azulado, procede de Norteamérica.

en Norteamérica, fue introducida en Europa a mediados del siglo XVIII. De carácter perenne tiene un rizoma grueso y hojas verdes flotantes de 10 a 30 cm de longitud. Su flor está compuesta de numerosos pétalos que dejan en su interior un conjunto de estambres amarillos. Existen diversas variedades de las que es conveniente destacar:

- *Nymphaea odorata rosea*. Produce unas flores muy aromáticas de color rosa pálido, casi blancas. Es en plena época cálida cuando alcanza este nenúfar la plenitud.
- *Nymphaea odorata sulphurea grandiflora*. Sus flores de color amarillo, y 10-15 cm de ancho, son estrelladas y semidobles. Sus usos son diversos: adornar pequeños lagos, charcos, estanques, o bien ser cultivada en interiores, en grandes recipientes.

La flor morada pálida de la variedad *nymphaea odorata rosea* desprende una agradable fragancia que alcanza su plenitud en la época más cálida del año.

NECESIDADES

- LUZ. Este tipo de plantas necesita estar colocado en un lugar con exposición directa al sol.
- TEMPERATURA. Es un vegetal resistente que aguanta el calor y las altas temperaturas. También soporta las estaciones frías si se encuentra en interiores.
- HUMEDAD. Se autorregula al estar en contacto directo con el agua.

CUIDADOS

- PLANTACIÓN, TRASPLANTE Y PODA. Conviene cortar las hojas y las flores marchitas para que no se pudran en el agua y dar mayor vigor a la planta. Para conseguir nuevas plantas se procede a la división de las macollas, espigas que nacen de un mismo pie, al lle-

gar la época cálida. Esta operación se repite sólo cada tres años por planta.
- RIEGO. Cuando se sitúa un pequeño plantón en una maceta ha de regarse a diario para mantener húmeda la tierra.
- NUTRICIÓN Y SUPLEMENTOS. Abono floral líquido durante la época de floración para dar más color a los brotes.

| Pleno sol | Sin riego al estar en agua | 0-30 °C |

NUPHAR LUTEA

Nenúfar amarillo

Esta especie espontánea y originaria de la Península Ibérica se da en estado salvaje en acuíferos de corriente lenta o zonas de agua estancada. Se le conoce popularmente como nenúfar amarillo, botellera, cubi-

En estado salvaje el nenúfar amarillo se extiende por el acuífero dando una bonita sensación de exuberante vegetación.

letes, maravilla de río, ninfa amarilla, azucena de agua amarilla, lampazo o ninfea amarilla. Su rizoma o tallo subterráneo es grueso y carnoso. Parte de sus hojas permanecen sumergidas y son translúcidas, ovales casi elípticas y de 10 a 30 cm de largo. Las hojas que llegan a la superficie son flotantes, planas, fuertes y más puntiagudas. Sus flores son pequeñas, de unos 6 cm de diámetro y de color amarillo. Aparecen junto a una mata de hojas ovaladas de color verde, que alcanza aproximadamente 40 cm de longitud. El conjunto total de la planta puede llegar a los 150 cm. Las semillas se encuentran en unos recipientes verrugosos y ovalados. Su uso principal ha sido el adornar estanques y acuíferos tan-

to en el interior como en el exterior de las casas, pero en la actualidad se ha extendido su cultivo en grandes acuarios o recipientes cristalinos, buscando nuevos efectos decorativos para interiores.

NECESIDADES

- Luz. De semisombra a sol. Dependiendo en la zona en la que se encuentre la planta se la deberá resguardar ligeramente del sol en las horas centrales del día.
- Temperatura. Es una planta fuerte que tolera bien los cambios de temperatura y los inviernos fríos.
- Humedad. Se autorregula al encontrarse en contacto con el agua.

CUIDADOS

- Plantación, trasplante y poda. Pasada la época cálida se procede a retirar las hojas muertas, las marchitas se cortan. Se prepara una maceta con tierra de huerta, arena de grano grueso y tierra de hojas. En este recipiente pasará la época fría.
- Riego. En el tiempo de hibernación se regará una vez por semana.
- Nutrición y suplementos. Al preparado que hemos descrito para hibernar se le añadirá abono orgánico para dar fortaleza a la planta.

| Semisombra o Sol | Sin riego, al estar en agua | 2-24 °C |

PISTIA STRATIOTES

LECHUGA DE AGUA

La *pistia stratiotes* es originaria del trópico americano aunque ya está extendida por varios países. Al igual que otras plantas acuáticas de este capítulo puede ser considerada mala hierba y una verdadera plaga cuando crece de manera incontrolada en estanques o riachuelos. Es un vegetal perenne que puede cultivarse sobre el agua o en macetas con tierra fina y húmeda, imitando el terreno fangoso en el que se da naturalmente. Sus hojas, gruesas y carnosas, de color verde claro y nervios más pálidos, están dispuestas a modo de roseta. Aunque a simple vista no se aprecian flores, éstas aparecen en la época cálida sobre un espádice o espiga siendo de muy pequeño tamaño y de un color blanco o crudo.

NECESIDADES

- Luz. Para los plantones que se encuentren en acuarios o macetas es necesaria una gran cantidad de luz. Semisombra es lo aconsejable para los que estén plantados en pequeños estanques de exterior.
- Temperatura. Es muy sensible a los inviernos duros. No se desarrolla con temperaturas inferiores a 15 °C y para un óptimo crecimiento necesita estar en un ambiente de entre 22 y 30 °C.
- Humedad. Si la planta no vive en contacto directo con el agua, el terreno ha de estar siempre húmedo.

CUIDADOS

- Plantación, trasplante y poda. Su reproducción más sencilla es por estolones, coger uno o dos por cada nueva maceta y plantarlos sobre turba húmeda. Se puede acelerar el proceso de germinación de

La *pistia stratiotes* es una planta invasora que en poco tiempo cubre la superficie del agua.
Su semejanza con la conocida hortaliza ha hecho que esta planta sea conocida como lechuga de agua.

la raíz introduciéndolos en un jarro con agua. Una vez crecida la raíz se procede a plantarlos durante un mes en turba.

- RIEGO. Ha de ser continuo para que la tierra de la maceta se asemeje a las zonas pantanosas de su hábitat natural. Se debe regar a diario en la época más cálida y tres o cuatro veces por semana durante la temporada fría.
- NUTRICIÓN Y SUPLEMENTOS. El rápido crecimiento de esta planta y su fácil

adaptación a las condiciones ambientales no hace necesario el aplicar suplementos químicos. Se recomienda una buena tierra de plantar y turba de alta concentración.

Semisombra	Riego abundante	22-30 °C

ZANTEDESCHIA AETHIOPICA

CALA

La cala de Etiopía es también llamada alcatraz, aro de Etiopía o lirio de agua. Herbácea y vivaz, es de origen sudafricano, donde crece de manera espontánea. Se cultiva como ornamental por sus vistosas flores de color blanco. Es una planta perenne, de la familia de las aráceas, la más robusta y extendida del género *zantedeschia*. Alcanza los 150 cm de altura. Está dotada de un rizoma de grandes dimensiones, con hojas que nacen desde la base del tallo y son largamente pecioladas. Produce dos o tres flores por cada bulbo. Las inflorescencias son simples, de 4 a 7 cm de alto, con un cáliz en forma de embudo y un espádice o tipo de espiga que se da dentro de la inflorescencia. Si bien es conocida como cala, que viene del griego *kalos*, su nombre latino de *zantedeschia* fue otorgado como reconocimiento a la labor del botánico

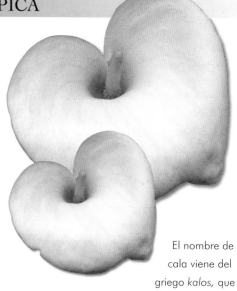

El nombre de cala viene del griego *kalos*, que significa belleza. Esta planta era símbolo de elegancia en la Inglaterra victoriana.

italiano Francesco Zantedeschia (1798-1883) que escribió un tratado sobre esta flor en 1825. Es curioso ver la polémica que en la actualidad existe por la denominación, ya que investigaciones recientes replican que el nombre lo debe al también botánico italiano Giovanni Zantedeschia (1773-1846). El debate está abierto y las posiciones son variadas, pues los dos botánicos eran coetáneos y procedentes del mismo país.

NECESIDADES

- LUZ. Al igual que muchas plantas acuáticas no tolera la luz directa del sol en las horas centrales del día. Ha de colocarse en semisombra o en sombra completa.
- TEMPERATURA. Requiere una temperatura suave. Es muy apreciada por aguantar los inviernos de climas como el mediterráneo. Soporta los fríos de hasta varios grados bajo cero y tolera el calor de la época más cálida (28 °C).
- HUMEDAD. Las plantadas en estanques necesitan que durante la época más fría del año se achique el agua para que sus rizomas descansen. No es conveniente humedecer la flor.

CUIDADOS

- PLANTACIÓN, TRASPLANTE Y PODA. Se planta en tierra de jardín con arena, turba y abono orgánico. Su multiplica-

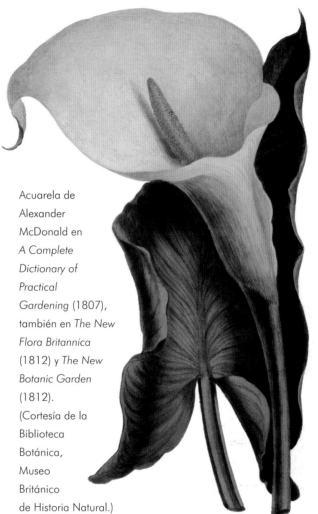

Acuarela de Alexander McDonald en *A Complete Dictionary of Practical Gardening* (1807), también en *The New Flora Britannica* (1812) y *The New Botanic Garden* (1812). (Cortesía de la Biblioteca Botánica, Museo Británico de Historia Natural.)

ción se produce al comienzo de la época de floración por división de las macollas o tallos. Para acelerar el proceso de floración-descanso, las flores pueden ser cortadas a mitad del tallo antes de que aparezca la semilla.

- RIEGO. La cala se riega en abundancia durante el período de crecimiento y floración. Después, el riego se suspenderá para dejarla secar pues comienza su periodo de reposo. Las flores se marchitarán de forma natural.
- NUTRICIÓN Y SUPLEMENTOS. Aplicar fertilizante líquido cada diez semanas.

| Semisombra | Riego abundante | 0-28 °C |

ÁRBOLES Y ARBUSTOS DE INTERIOR

Los árboles y arbustos han sido tradicionalmente plantas de jardín. En la actualidad, las nuevas técnicas de horticultura permiten cultivar ejemplares de estos géneros en macetas para su uso en interior.

Cuando viajamos o admiramos en revistas y documentales cómo muchos de los árboles y arbustos que adornan nuestras casas en realidad son, en su hábitat natural, enormes ejemplares que alcanzan varios metros de altura, no podemos dejar de preguntarnos, ¿qué secreto se esconde tras este increíble cambio de tamaño? La respuesta es muy sencilla, y no es necesario recurrir a la alquimia para encontrarla: suelo, clima y poda. Con la combinación de estos tres elementos podemos cultivar en maceta casi cualquier planta que se nos ocurra.

El suelo y el clima son las dos variables más influyentes en el caso del cultivo de árboles. Es evidente que las circunstancias climáticas (especialmente de selvas y zonas tropicales) y los nutrientes de suelos como el de la ribera de pantanos y grandes ríos subtropicales no pueden ser reproducidas en latitudes más meridionales y en el interior de los edificios. Como consecuencia de ello, el crecimiento de la planta se hace más lento, su vigorosidad decrece y no obtiene los nutrientes suficientes para desarrollarse en todo su potencial. La poda juega un factor determinante para el cultivo de los arbustos en interiores. Esta labor nos permite dar a la planta la forma más adecuada para el tipo de maceta donde se encuentra plantada. Además, conseguimos seleccionar los tallos con mejores brotes, determinar las zonas de la planta en las que habrá floración y aumentar el número de capullos viables. Con estas técnicas muchos árboles, y la mayoría de los arbustos que conocemos pueden ser cultivados y expuestos en cualquier rincón del hogar o la oficina. Os invitamos a probar con alguno de los que en las siguientes líneas os encontraréis.

ACACIA

ACACIA

Naturales de las zonas más secas de África y Australia, existen más de 1.000 especies de este género, pero únicamente se cultivan unas decenas de ellas. Se trata de arbustos y pequeños árboles con flores, generalmente amarillas, que se agrupan en cabezuelas esféricas aunque algunas especies presentan flores en espigas cilíndricas. Sus hojas están doblemente pinnadas, o sea, insertadas a uno y otro lado del pecíolo. En gran parte de las especies las estípulas, u hojas laterales, se convierten en espinas. De manera espontánea crecen en zonas completamente áridas, pero gracias a sus largas raíces encuentran el agua necesaria para su supervivencia.

Algunas de las especies que se pueden cultivar en interiores son:

• *Acacia armata*. Original de Australia. En estas tierras se presenta en forma de árbol de grandes dimensiones, pudiendo alcanzar los 5 m de altura. En las regiones del hemisferio norte se presenta en forma arbustiva con una altura claramente menor y más ramificada. Sus hojas espinadas de 2 cm de longitud son

El nombre de acacia proviene del griego *akis*, que significa punta, aludiendo a las espinas que la mayoría de las especies del género poseen.

perennes; su floración se da en los primeros meses de la estación cálida.

• *Acacia dealbata*. Conocida como zarza plateada. Para los legos en plantas es fácil confundirla con la mimosa; como tales son vendidas sus flores en las zonas más frías de Europa, donde llegan cortadas procedentes del sur, sobre todo desde Italia y España donde la humedad es menor y el clima más favorable para su crecimiento.

• *Acacia cultriformis*. La zarza de hoja de cuchillo se diferencia de sus hermanas

La variedad *dealbata* es la más resistente al frío. Puede soportar temperaturas inferiores a 10 °C durante varios días.

por sus pedúnculos, a manera de falsas hojas, de un color verde azulado, que por su excesiva anchura y terminación en punta aparentan ser las hojas del arbusto. Es excelente para plantar en grandes macetas colocadas flanqueando la puerta de entrada, pues sus enmarañadas ramas se entrelazan y crean una sólida red muy compacta que hace el efecto de un arbusto densamente poblado.

NECESIDADES

- LUZ. Ha de evitarse que la luz del sol ilumine directamente a la planta durante varias horas al día. Es un arbusto que requiere claridad, pero no tolera una exposición directa y continua a los rayos solares.
- TEMPERATURA. La gran resistencia de las acacias a los cambios de temperatura es una de las características que más popularidad le ha dado en Europa. Puede aguantar el invierno si éstas no permanecen por debajo de los 0 °C durante muchos días; en la época más cálida tolera adecuadamente que el termómetro supere los 20 °C. En interior su temperatura ideal debe rondar los 18°C.
- HUMEDAD. En exteriores tienen la virtud de extender sus largas raíces para encontrar agua a gran distancia. Si están plantadas en macetas para poder disfrutarlas en interiores, se ha de aportar a la planta una humedad ambiente media resguardándola de los aparatos de calefacción en la estación fría y refrescando sus hojas, sin mojar las flores, durante el verano.

CUIDADOS

- PLANTACIÓN, TRASPLANTE Y PODA. Tras cada floración ha de recortarse el arbusto para sanearlo y asegurarse un nuevo brote en el año siguiente. La multiplicación se realiza por esquejes, pero requiere un alto grado de conocimiento técnico por lo que recomendamos el uso de semillas. Éstas han de sumergirse durante ocho horas en agua que previamente se habrá dejado hervir. Pasado un día tras esta acción se pueden sembrar en semilleros con turba y tierra natural. En unas tres semanas las semillas germinarán.
- RIEGO. En su estado natural las acacias buscan el agua con sus largas raíces en los lugares más recónditos del terreno. Al encontrarse en macetas hay que tener cuidado de no aportar demasiada hidratación, pues se corre el riesgo de producir podredumbre en la planta. Durante la época de crecimiento debe tenerse la tierra ligeramente húmeda todos los días. En la época más fría se regará cada semana.

- Nutrición y suplementos. La tierra en la que se encuentre ha de ser ácida para aportarle los nutrientes necesarios a la acacia. Las tierras calizas no son propicias para su crecimiento.

| Semisombra | Riego medio | 0-20 °C |

ARAUCARIA BIDWILLI

Araucaria

Más conocida como *bunya-bunya*, la araucaria es originaria de Queensland, Australia. Pertenece a la familia de las araucariáceas, coníferas particularmente arcaicas que sólo comprenden dos géneros (*araucaria* y *agathis*). En exterior y en su hábitat natural son árboles robustos que pueden alcanzar los 25 m de altura. Su crecimiento, mucho más lento que el de otras especies, las convierte en aptas para el cultivo en maceta e interiores. Los troncos tienen una forma característica, son rectilíneos y robustos, y la distribución regular de sus ramas rectangulares confieren al árbol un aspecto rígido. Sus hojas son perennes y aciculares, en forma de aguja, de 2 a 3 cm de longitud. En cultivo de interior, el *bunya-bunya* nunca sobrepasará los 2,5 m de altura.

Sus hojas son perennes y aciculares, en forma de aguja, de 2 a 3 cm de longitud.

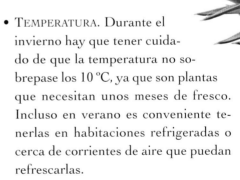

NECESIDADES

- Luz. En crecimiento libre son grandes árboles que reciben a todas horas los rayos de sol. La luz no es un problema con la araucaria. En interiores se ha de buscar un lugar soleado, cerca de una ventana o en una terraza.

- Temperatura. Durante el invierno hay que tener cuidado de que la temperatura no sobrepase los 10 °C, ya que son plantas que necesitan unos meses de fresco. Incluso en verano es conveniente tenerlas en habitaciones refrigeradas o cerca de corrientes de aire que puedan refrescarlas.
- Humedad. Si la época cálida trae temperaturas muy altas y la zona donde crece es seca, se ha de pulverizar agua sobre las hojas al menos dos veces por semana.

CUIDADOS

- Plantación, trasplante y poda. Para su multiplicación se usarán o bien semillas, que son comestibles, o

Ha de colocarse en macetas grandes, de más de 30 cm de diámetro, con arena no arcillosa y algunas piedras en el fondo.

bien esquejes terminales, que se plantan en macetas con una mezcla de mantillo de hojas, abono compuesto, turba y arena.

- RIEGO. Espaciado, una vez por semana, durante la estación fría y en verano se aumentará la frecuencia a dos o tres veces por semana, sin dejar secar la tierra.
- NUTRICIÓN Y SUPLEMENTOS. Durante el invierno se puede ayudar a la planta con un puñado de abono 15-15-15 cada mes dándole 3 o 4 aplicaciones como máximo.

| Pleno sol | Riego espaciado | 0-10°C |

ARBUTUS

MADROÑO

Conocido popularmente por aparecer en el escudo de Madrid, capital de España, el madroño es un arbusto originario de las áreas mediterráneas. El tronco es rojizo y agrietado, con copa espesa y redondeada. Las hojas son perennes, grandes, verdes, brillantes, lanceoladas, y de hasta 10 cm de largo. Habitualmente presentan serraduras en sus bordes. Las flores, de un color entre blanco y verde son de pequeño tamaño; forman panículas colgantes y poseen unos filamentos libres. Sus frutos, comestibles, son usados para realizar dulces, confituras y licores; son de unos 4 cm de diámetro y de un color entre amarillo y rojo intenso.

El lento crecimiento del madroño lo hace perfecto para su cultivo en interiores.

Además de símbolo de la capital de España, el madroño es el árbol nacional de Nicaragua.

NECESIDADES

- Luz. No tolera la luz directa del sol, pero requiere una estancia iluminada.
- Temperatura. Originario del área mediterránea, necesita temperaturas suaves en verano y frescas en invierno. Las heladas pueden acabar con él, por lo que se recomienda no colocarlo en terrazas o portales, especialmente en el

invierno. Es conveniente mantenerlo en un ambiente que oscile entre los 5 y los 25 °C.

CUIDADOS

- Plantación, trasplante y poda. El madroño es una planta muy difícil de transplantar. Su multiplicación se realiza por semillas, que aparecen en la planta en la época final del verano y antes de comenzar la estación fría. El sustrato ha de ser ligeramente calizo.
- Riego. El riego será uniforme durante todo el año: dos veces por semana. Con riegos más largos si el calor es alto y más cortos en la época más fría.
- Nutrición y suplementos. Durante el invierno se aplicará un puñadito de abono 3-15 cada dos semanas dos meses al año.

| Semisombra | Riego medio | 5-25 °C |

AUCUBA JAPONICA

AUCUBA DEL JAPÓN

Especie espontánea de Japón y Corea, en esta última es uno de los componentes básicos de las selvas perennes que se dan a

Se trata de una planta muy resistente, por lo que es adecuada para jardineros inexpertos.

Las grandes hojas de la *aucuba japonica longifolia* hacen que sea la variedad menos apropiada para su cultivo en interior.

más de 600 m de altitud. El arbusto crece, en estas circunstancias, hasta los 5 m de altura, resguardado de la luz directa del sol por los grandes árboles selváticos. De manera natural se presenta con hojas completamente verdes. Las variedades que llegan hasta nosotros son todas variaciones fruto de la horticultura; entre las más destacadas se cuentan:

- *Aucuba japonica crotonifolia.* Procedente de la isla de Java, sus hojas son ovaladas, de aspecto brillante, con manchas amarillas y bordes dentados. Los frutos, que sólo se dan en las plantas femeninas, tienen el tamaño de una aceituna y son de color rojo.
- *Aucuba japonica crassifolia.* De hojas coriáceas, parecidas al cuero, y particularmente espesas.
- *Aucuba japonica longifolia.* Siempre verde, sus hojas son lanceoladas y de más de 12 cm de largo y sin manchas amarillas.

- *Acuba japonica luteocarpa.* Esta variedad produce gran cantidad de frutos amarillos. Las hojas son dentadas y con manchas amarillas.

NECESIDADES

- LUZ. Esta especie, al igual que en su hábitat natural, no tolera la luz directa del sol durante las horas centrales del día. Se puede colocar en anchos pasillos con ventanales altos, en la puerta de entrada a la casa o en balcones y terrazas, siempre que éstos tengan orientación norte.
- TEMPERATURA. Su temperatura mínima se encuentra entre 1 y 4 °C. No resiste las heladas. Se recomienda que aquellas que estén en terrazas sean retiradas al interior durante el invierno. Las máximas aceptables rondan los 20 a 24 °C.
- HUMEDAD. Si se encuentran en áreas muy secas o la calefacción durante el invierno es muy potente, se debe pulverizar agua tibia sobre sus hojas, al menos dos veces por semana.

CUIDADOS

- PLANTACIÓN, TRASPLANTE Y PODA. La mejor forma de multiplicación es por esquejes. Éstos se enraizan en un sustrato a base de turba y perlita, recubriéndolo todo con un plástico para evitar pérdidas de transpiración. Una vez enraizada, se coloca en una maceta hasta que alcance un desarrollo adecuado para trasplantarla a su lugar definitivo pasada la estación más fría.
- RIEGO. Durante el verano se regará copiosamente, al menos cada tres días. Durante el invierno los riegos serán

escasos, con uno a la semana tendrá suficiente. Con la *aucuba* es preferible regar de menos, ya que esta planta puede resistir largos períodos de sequía, pero no tolera el encharcamiento, que le puede llevar a padecer el hongo *botritis (botrytis cinerea)*.

- NUTRICIÓN Y SUPLEMENTOS. Es conveniente añadir abono químico a los riegos durante la época de floración.

El resto del año no es necesario porque la planta deja de crecer en la estación fría.

| Semisombra | Riego medio | 1-24 °C |

BAUHINIA VARIEGATA

BAUHINIA

El género *bauhinia* comprende más de 200 especies de árboles y arbustos que se dan de manera espontánea en las regiones tropicales y subtropicales de Asia, África y América. Todo el género fue dedicado por Linneo a los hermanos Bauhin, botánicos suizos que vivieron entre los siglos XVI y XVII. Es común a todas las especies del género el poseer grandes y verdes hojas de hasta 15 cm. Los frutos son largas vainas que pueden albergar, una veintena de semillas. Muy pocas variedades son susceptibles de ser cultivadas en interiores, he aquí una muestra de ellas:

- *Bauhinia galpinii*.

En forma de arbusto voluble, es originario de Mozambique y Zimbaue. Es xerófilo, adaptado a vivir en ambientes muy secos y de un crecimiento muy rápido que le hace llegar hasta los 3 m de altura. Para cultivarlo en interiores ha de podarse cada año para corregir su tamaño.

- *Bauhinia acuminata*. Especie procedente de la India y Birmania, especialmente recomendada para apartamentos cálidos. Apenas alcanza 1 m de altura.

NECESIDADES

- LUZ. Esta planta debe colocarse a pleno sol. Necesita luz directa a diario. Únicamente en regiones extremadamente calurosas se buscará un lugar donde durante las ho-

Las flores de la *bauhinia acuminata se abren* rápidamente, en cuanto comienza la estación cálida, y adornan la planta durante varios meses.

Gran parte de las especies del género *bauhinia* son árboles, pero las nuevas formas de cultivo permiten que en interiores también disfrutemos de sus preciosas flores. La variedad *galpinii* tiene inflorescencias de tres a cinco pétalos rosáceos que conservan este tono durante todo el verano.

CUIDADOS

- Plantación, trasplante y poda. La mejor manera de multiplicar estas especies es por sus semillas. Apenas una semana después de sembrarlas ya han germinado. Los jóvenes ejemplares obtenidos se transplantan pasado un mes a un sustrato blando compuesto de mantillo de hojas, hierba, turba y gravilla que facilita el drenaje. La poda es necesaria en esta planta y se realiza antes del invierno. Es normal que ella misma pierda algunas de las hojas y ramificaciones de año en año.

- Riego. Ha de ser abundante durante las estaciones más cálidas y en invierno se puede realizar únicamente dos veces cada diez días.

- Nutrición y suplementos. Justo antes de la floración y hasta que termine el verano se puede añadir fertilizante líquido a un riego de cada semana. Durante el invierno es conveniente esparcir un puñadito de abono nitrogenado en la parte superior de la maceta dos veces en todo el invierno.

ras centrales del día no lleguen los rayos solares.

- Temperatura. Al proceder de ambientes cálidos no tolera que la temperatura baje de los 10 °C. Preferiblemente se mantendrá entre 15 y 30 °C. Es una excelente planta de interior, pues tolera las altas temperaturas producidas por el calor del verano y la calefacción en invierno. No necesita temperaturas frescas del exterior.

- Humedad. Durante la estación fría, debido a la calefacción, hemos de vigilar que el calor seco que la planta recibe no afecte a sus hojas. Es conveniente pulverizarla con agua tibia sin humedecer nunca las flores.´

| Pleno sol | Riego medio | 15-30 °C |

BOUGAINVILLEA

BUGANVILLA

De la familia de las *nictagi-náceas*, esta planta es originaria de la América tropical. Su nombre surge como reconocimiento al navegante francés Louis de Bougainville (1729-1811), que dedicó su vida a organizar expediciones a las islas americanas, tomando para Francia las Islas Malvinas, Haití…

En todos sus viajes a los lugares más o menos exóticos, Bougainville se rodeaba de naturalistas, dibujantes y otros científicos que, imbuidos del espíritu ilustrado de la época, pretendían conocer, reproducir y registrar todas las especies animales y vegetales del Nuevo Mundo. Existen unas catorce especies del género *bougainvillea*, pero únicamente dos revisten interés para la horticultura:

- *Bougainvillea spectabilis*. Arbusto voluble y robusto que se caracteriza por sus espinas resistentes y curvas.
- *Bougainvillea glabra*. Menos robusta que la anterior, con hojas glabras (lampiñas) y provista de espinas poco desarrolladas.

Ambas especies comparten sus coloreadas brácteas, hojas que nacen del

Además de planta trepadora, la *bouganvillae* puede cultivarse en macetas a modo de arbusto.

pedúnculo de las flores y que a simple vista podemos confundir con sus inflorescencias; éstas en realidad son blancas, pequeñas y sin valor ornamental.

Las buganvillas son muy consideradas por sus vivos colores, naranja, violeta, amarillo, blanco… producto de muy diversos cruces, espontáneos unos y otros debidos a la mano del hombre. Es considerada una planta trepadora. Cultivada en maceta, es perfecta para adornar terrazas y paredes semiexteriores.

NECESIDADES

- LUZ. A pleno sol. Esta planta, cultivada en interiores, necesita un lugar continuamente soleado. Si la situación elegida no es óptima, rápidamente veremos cómo empieza a perder sus hojas.
- TEMPERATURA. La *Bougainvillea spectabilis* no tolera temperaturas inferiores a los -3 °C y la *glabra* puede soportar hasta -7 °C. Ambas comenzarán a secarse

Las verdaderas inflorescencias son blancas y se encuentran en medio de las coloridas brácteas. Su aparición ocurre durante la primavera y apenas pueden ser vistas unas semanas.

es limitar la altura y ganar frondosidad. Se ha de podar por encima de la primera yema de cada tallo. En la época más cálida se retirarán las flores que se vayan marchitando. La forma de multiplicación es mediante esquejes. En plantas jóvenes se usarán los tallos blandos, tomados con alguna yema y espolvoreados con polvo de enraizar antes de plantarlos en pequeñas macetas con composto.

- RIEGO. Durante la época más cálida, y mientras las temperaturas sean altas, se regará de dos a tres veces por semana. Durante el invierno debe dejarse reposar la planta, y el riego se limitará a una vez cada diez días. Es importante no excederse en los riegos, pues resiste muy mal el exceso de líquidos.

- NUTRICIÓN Y SUPLEMENTOS. Desde el comienzo de la floración y hasta el final de la estación cálida podemos añadir, cada quince días, unas gotas de abono en el agua de riego. Esta planta también puede requerir hierro en forma de quelatos si sus hojas comienzan a amarillear.

cuando el mercurio supere los 30 °C de manera prolongada.

- RIEGO. Esta planta requiere descansar durante el invierno. En esta época la temperatura baja no es un problema, pero al situarla en interiores, la falta de humedad producida por las calefacciones y el aire acondicionado hace necesario que, al menos una vez por semana, pulvericemos sus hojas con agua tibia.

CUIDADOS

- PLANTACIÓN, TRASPLANTE Y PODA. La poda se realizará a final del invierno o antes de comenzar la primavera. Su fin

| Pleno sol | Riego medio | 0-30 °C |

CAESALPINIA PULCHERRIMA

Pequeño Flanboyant

Aunque tiene su procedencia en América y Asia, su cultivo se ha extendido por todo el mundo. Al igual que otras plantas, ésta ha sido bautizada en honor del botánico y filósofo italiano Andrea Caesalpini (1524-1603). Es un arbustillo utilizado por los mayas con fines medicinales. Su tamaño apenas supera el metro, sus hojas son pinas, terminadas en punta y de 1 a 2 cm de largo. Las inflorescencias aparecen en racimos de flores axilares con pétalos de unos 2,5 cm. Del centro de cada flor asoman unos estambres largos y afilados.

Las flores pueden ser moradas, rojas o anaranjadas, de fuertes y vivos colores que le dan belleza y gran valor ornamental.

NECESIDADES

- Luz. Plena luz. Por su tamaño es fácil poder colocar la maceta en la que se encuentra plantado en lugares con mucha claridad y contacto directo con el sol.
- Temperatura. Siempre agradece temperaturas cálidas. No es recomendable mantenerla en lugares donde el termómetro baje de los 7 °C. Su ambiente ideal se establece en los 20 °C y no es bueno que supere los 32 °C.
- Humedad. Únicamente en la estación más cálida, y si la exposición al sol supera cada día las seis horas, será conveniente humedecer el tallo de la planta y las hojas inferiores, al menos dos veces por semana, sin que el agua toque nunca las flores.

CUIDADOS

- Plantación, trasplante y poda. La poda debe realizarse cada dos años al finalizar la estación cálida. La multiplica-

ción se hace por semillas, pues sus tallos no son aptos para realizarla por esquejes. El sustrato ha de ser nutritivo, estará compuesto de mantillo de tierra y hojas, arena y turba.
- Riego. Abundante durante el verano, de tres a cuatro veces por semana. En el invierno se suspende prácticamente; un riego ligero una vez cada quince días es una buena opción.
- Nutrición y suplementos. Desde la floración y hasta el final del verano, una vez por semana, y acompañando al riego ha de administrarse una pequeña dosis de abono floral.

| Pleno sol | Riego abundante en verano | 7-32 °C |

CALLISTEMON CITRINUS

LIMPIATUBOS

El uso decorativo de esta planta ha desplazado a los usos primitivos que se le daba en sus lugares de origen.

Curiosa planta llevada a Europa por los comerciantes ingleses. Su origen se encuentra en Australia y Nueva Zelanda. En su género existen hasta veinticinco especies distintas, siendo la que aquí se trata la que presenta mayor facilidad para la horticultura. En condiciones naturales su altura puede llegar a sobrepasar los 4 m, pero cultivada en maceta nunca alcanza más de 2. Sus hojas son perennes, lanceoladas y oscuras. Esta planta es conocida, y apreciada, por la forma que toman los estambres de sus flores en espiga. Éstos, durante la época de floración, nacen desde las inflorescencias y las superan con creces en tamaño y longitud, formando un conjunto de rojos filamentos a modo de plumero o mopa de excepcional belleza.

NECESIDADES

- LUZ. Ha de colocarse en una habitación bien iluminada y se le ha de proporcionar varias horas diarias de pleno sol.
- TEMPERATURA. Las temperaturas frías y secas son el mayor problema a la hora de cultivarlas. No tolera medidas inferiores a los 8 °C y soporta cómodamente las que sobrepasan los 28 °C
- HUMEDAD. En interiores, y durante el invierno, no puede ser colocada cerca de un aparato de calefacción o aire acondicionado.

CUIDADOS

- PLANTACIÓN, TRASPLANTE Y PODA. La multiplicación se consigue de una manera más fácil si en lugar de utilizar semillas se opta por el método de estacas de madera con hojas parcialmente maduras, que enraízan muy bien en un compost de turba y paja con buen drenaje.

La poda ayuda a que la planta no crezca en altura y sí en frondosidad. Ha de realizarse tras la floración primaveral para que pasada la estación cálida se produzca la segunda floración anual.

- RIEGO. El riego durante el verano será frecuente, dos a tres veces por semana, y durante el invierno únicamente cuando la parte superior de la superficie de la maceta se note sin ninguna humedad.
- NUTRICIÓN Y SUPLEMENTOS. Como consejo a jardineros expertos se recomienda mantener el pH de la tierra en 6.

| Pleno sol | Riego medio | 8-28 °C |

CAMELLIA

CAMELIA

Existen pocas plantas tan famosas y por tan variadas razones como la camelia. Unos podrán reconocerla por ser la planta del té, otros por ser el símbolo de la exclusiva casa de costura Channel, algunos incluso por dar título a la novela de Alejandro Dumas, hijo, *La dama de las camelias* que debe su nombre al uso de sus flores por la protagonista; pero pocos saben que su nombre proviene de un religioso jesuita que vivió en el siglo XVII. Originaria de Asia Oriental, este arbusto de hojas perennes y de textura similar al cuero que terminan en una ligera punta posee unas bellísimas flores solitarias, con corola doble y de diversos colores. Su cultivo en interiores resulta complicado, pero con paciencia y destreza puede obtenerse un fabuloso ejemplar. Existe un innumerable número de variedades de camelia, y de cada una de éstas hay decenas de híbridos. Como por ejemplo:

- *Camellia japonica*. Es la variedad más extendida y a la que pertenecen mayor número de híbridos.
- *Adolphe audusson*. Roja y semidoble.
- *Elegans*. Con flores tipo anémona y de color rosa melocotón.
- *Apollo*. Roja con pequeñas manchas blancas.

Camellia japonica de doble floración, de un artista anónimo chino. John Reeves (1774-1856), Artistas de China. (Cortesía de la Biblioteca Lindley, Real Sociedad de Horticultura.)

- *Lady vansittart*. Blanca con rayas rosas.
- *Contessa lavinia maggi*. Roja rayada de rosa.
- *Camellia williamsii*. Estos híbridos están recomendados para el cultivo en forma de arbusto de exterior.
- *Donation*. Rosado, semidoble y con hojas que al marchitarse caen por sí solas.
- *Anticipation*. Rojo, tipo peonía.

El pulgón, la cochinilla y la hormiga roja son las plagas más comunes que afectan a la camelia.

- *J.C. williams.* Rosa pálido y flores muy sencillas.

NECESIDADES

- LUZ. Ha de ponerse en semisombra. Una habitación soleada, pero en la que los rayos de sol no la alcancen directamente.
- TEMPERATURA. Es una planta resistente al frío. Acepta temperaturas inferiores a 5 °C. Por el contrario, no tolera las estancias con más de 22 °C.
- HUMEDAD. Es la piedra de toque para el cuidado de esta planta. Una alta humedad ambiental es la clave para alcanzar el éxito en el cultivo de la camelia en interiores. Durante el verano se puede rociar sus hojas con agua tibia al menos dos veces por semana. En la estación fría no le conviene compartir habitación con aparatos de calefacción, pues tienden a secar el ambiente, por ello debe ponerse o bien en otra estancia o bien colocando un humidificador eléctrico cerca de la maceta.

CUIDADOS

- PLANTACIÓN, TRASPLANTE Y PODA. El tipo de terreno idóneo se compone de 3/4 de mantillo de castaño o de tierra de bosque y 1/4 de arena.

La poda no es esencial para la planta; en el ecuador de la primavera se pueden eliminar las ramas débiles o las no deseadas. Si lo que queremos es una poda orientada a la floración hay que tener en cuenta varios consejos. No podar si la planta tiene capullos. Despuntar todos los ramos inmediatamente después de la floración, a pulgares cortos de tres yemas laterales. Se obtienen flores más grandes, aunque en menor cantidad, si allí donde haya varios capullos juntos en una rama o brote, se deja sólo uno, retirando el resto a mediados de la estación fría.

- RIEGO. Esta planta es sumamente exigente con el agua de riego, que jamás debe de ser calcárea. Las tomas se realizarán de manera uniforme cada tres días. Es importante asegurarse de que la maceta tenga un buen drenaje.
- NUTRICIÓN Y SUPLEMENTOS. Como suplemento natural, podemos añadir cada primavera a la maceta una fina capa de turba rubia o tierra de brezo, que ayudará a dejar el pH del terreno más ácido.

| Semisombra | Riego medio | 0-22 °C |

CYCAS

Originarias de zonas tropicales y subtropicales, las cycas tuvieron su época de esplendor durante el Jurásico. En este tiempo reinaron sobre el resto de la flora de tal manera que también se llama a este período de la era mesozoica la era de las cycas. Su aspecto hace que comúnmente sean emparentadas erróneamente con las palmeras. Las cycas son vegetales arcaicos, con un tallo cilíndrico de crecimiento llamado apical, en forma de punta, cubierto de las muescas o cicatrices que sus hojas, pinnadas y verde brillante, dejan al caerse. Éstas pueden llegar a los 2 m de longitud, pero su crecimiento es tan lento que no hay problema a la hora de tenerlas en habitaciones pequeñas. Las plantas masculinas desarrollan una espiga lateral que puede alcanzar los 60 cm de altura.

Su reproducción es monoica: la planta femenina presenta los megasporófilos en el extremo del tallo y la masculina una espiga lateral en la que se agrupan los microsporófilos.

NECESIDADES
- LUZ. Planta de media luz, no soporta las zonas de umbría, pero tampoco es conveniente colocarla en lugares en los que el sol incida sobre ella más de cuatro horas al día.
- TEMPERATURA. Por su origen tropical y lo arcaico de su estructura es una planta que ha de tener siempre una temperatura superior a 10 °C e inferior a 30 °C
- HUMEDAD. Adaptada a pasar largas temporadas con una baja humedad ambiente, esta planta es perfecta para tenerla en habitaciones con una calefacción potente, donde otras plantas no podrían sobrevivir.

CUIDADOS
- PLANTACIÓN, TRASPLANTE Y PODA. El sustrato perfecto para su plantación se compone de mantillo con abonos compuestos, turba y una parte de arena. Su multiplicación es sencilla: se realiza por división tomando los brotes laterales de la base de los antiguos troncos.
- RIEGO. Durante la estación cálida el sustrato nunca debe llegar a secarse, por lo tanto se recomienda regar de dos a tres veces por semana. En la estación fría se dilatarán los riegos a uno cada doce o quince días.
- NUTRICIÓN Y SUPLEMENTOS. Durante el período de crecimiento pueden aportarse abonos de un alto contenido en nitrógeno. Se aplicará un puñado pequeño de bolitas una vez al mes durante los tres meses más activos de su desarrollo.

| Semisombra | Riego medio | 10-30 °C |

ERYTHRINA CRISTA-GALLI

ERITRINA

Esta bella planta debe la etimología de su nombre a los dos idiomas más importantes del Mediterráneo: *erytrhos* significa rojo en griego y *crista-galli* es cresta de gallo en latín. Así se conoce a este arbusto natural de Brasil, Paraguay, Uruguay… que en condiciones óptimas puede alcanzar los 4 m de altura. De tallo leñoso e irregular, durante la época de floración una legión de espinas los rodean, pero pasada ésta se secan y desprenden de manera natural. Sus flores, que brotan en racimos, son pentámeras, o sea que el conjunto de sus partes suma cinco, con una simetría bilateral y de color rojo. En cada racimo puede haber cincuenta flores de unos 5 cm de longitud. Las hojas son pinnadas e impares.

La floración llega una vez al año, en el tercio final de la estación cálida.

En su raíz viven en perfecta simbiosis unas bacterias nitrificantes que ayudan a la planta con la absorción del nitrógeno.

NECESIDADES

- LUZ. A plena luz. Su emplazamiento idóneo son las habitaciones muy luminosas o, durante la estación cálida, terrazas y estancias abiertas.
- TEMPERATURA. Resiste los inviernos frescos, pero la temperatura no ha de bajar de los 0 °C. Es perfecta para su cultivo en interiores, pues el mercurio tampoco debe sobrepasar los 20 °C en la época más cálida.
- HUMEDAD. Su hábitat natural es ligeramente seco. En zonas costeras ha de resguardarse en habitaciones frescas y secas.

CUIDADOS

- PLANTACIÓN, TRASPLANTE Y PODA. El sustrato usado para su plantación ha de reproducir el suelo natural donde se da de manera espontánea: arena y piedras serán la base fundamental unidas a una ligera capa de turba compacta. La multiplicación se realiza por semillas; éstas germinan de manera rápida pero la floración de la nueva planta puede retrasarse hasta cinco años.

• RIEGO. Desde la primavera y hasta el comienzo de la estación fría ha de regarse cada cuatro días, teniendo cuidado de no encharcar la planta. Los riegos serán cortos. Durante el invierno prácticamente se suspenderán, únicamente se regará cada diez o quince días si el sustrato está verdaderamente seco.

• NUTRICIÓN Y SUPLEMENTOS. Es una planta que apenas necesita suplementos. Durante su período de reposo, en el invierno, se pueden aplicar tres tomas de abono compuesto.

| Pleno sol | Riego escaso | 0-20 °C |

EUONYMUS JAPONICUS

EVÓNIMO DEL JAPÓN

De la familia de las quelastráceas, este arbusto de hoja perenne, originario del Japón, fue introducido en Europa alrededor de 1800. De hojas persistentes puede alcanzar los 4 m de altura, aunque en maceta es raro que se desarrolle por encima de los 150 cm. Cultivado como especie ornamental por sus hojas, coriáceas, de color verde vivo y finamente dentadas. Sus flores son de pequeño tamaño, de apariencia verdosa y dispuestas en cimas auxiliares dentro de cada grupo de hojas.

El tamaño y color exacto varía según los híbridos:

• *Albomarginatus*. Lámina verde y bordes blancos

• *Albomarginatus compactus*. Evónimo plateado compacto.

• *Aureomarginatus*. Evónimo aúreo.

• *Emerald gold*. Uno de los más usados en decoración por lo llamativo de sus colores: verde esmeralda y amarillo dorado.

• *Mediopicta*. Manchado de amarillo.

NECESIDADES

• LUZ. La luz directa del sol es vital para su supervivencia. Es necesario colocarlo en un lugar en el que la mayor parte del día esté bañado por los rayos solares.

• TEMPERATURA. Muy resistente tanto a las altas temperaturas, hasta 28 °C, como a los inviernos severos, 5 °C.

CUIDADOS

• PLANTACIÓN, TRASPLANTE Y PODA. Es conveniente cambiar cada año la tierra

La primera plantación ha de realizarse en las estaciones intermedias, otoño y primavera.

del tiesto. Como necesita de un buen drenaje, se pueden colocar piedras de río en el fondo de la maceta. La multiplicación se realiza por esquejes al final de la época cálida; éstos se plantarán en terreno arenoso o en una campana de cristal para su primer desarrollo.

- RIEGO. En verano aplicaremos riegos poco abundantes cada dos o tres días. En invierno pueden retrasarse a dos veces al mes.

- NUTRICIÓN Y SUPLEMENTOS. Antes de la primavera se aplicará abono orgánico al sustrato.

| Pleno sol | Riego medio | 5-28 °C |

HIBISCUS ROSA-SINENSIS

ROSA DE CHINA

Esta delicada planta llegó a Europa en 1731 procedente de China y Japón, donde crece de manera espontánea como un arbusto perenne que alcanza hasta 5 m de altura. Sus hojas son ovales, acuminadas, que se estrechan terminando en punta de bordes dentados. Las flores que la adornan son de unos 10 cm de diámetro, simples o dobles, con largos estambres que sobresalen de los pétalos. En regiones septentrionales sólo se recomienda su cultivo en maceta para interiores.

NECESIDADES

- LUZ. Necesita la luz directa del sol a diario, si bien en la época más cálida hay que resguardarla durante las horas centrales del día.
- TEMPERATURA. La temperatura media de la habitación donde esté instalada ha de oscilar entre los 13 y los 21 °C. Soporta durante cortos períodos de tiempo temperaturas que ronden los 6 de mínima y los 25 °C de máxima.
- HUMEDAD. Con temperaturas altas hay que humedecer sus hojas con agua tibia sin alcanzar a las flores. Durante la estación invernal, y para hacer frente al ambiente seco de la calefacción, es conveniente humedecer también la parte superior del sustrato.

CUIDADOS

- PLANTACIÓN, TRASPLANTE

Coloreado de plantas recogidas en Caledonia, Australia (febrero de 1803). (Cortesía de la Biblioteca Botánica, Museo Británico de Historia Natural.)

Y PODA. El terreno ha de ser fresco, compuesto de turba y arena. La poda, a comienzos de la estación primaveral, se realiza con fines decorativos y para dar forma a la planta. La multiplicación se realiza fácilmente por esquejes.

- RIEGO. Durante todo el año necesita riego continuo, pero no abundante. Las tomas se realizarán cada dos días y en muy pequeñas cantidades.

- NUTRICIÓN Y SUPLEMENTOS. Agradece un suelo muy abonado. Se aplicará abono 3x15 durante el invierno y abono foliar en la primavera. Para dar mayor vigor al color de las flores se puede aplicar quelato férrico en las dosis que recomiende el fabricante del producto.

Pleno sol	Riego medio	13-21 °C

HIBISCUS SIRIACUS

ROSA DE SIRIA

Siriacus en latín significa procedente de Siria y, originaria de aquella tierra de Asia Menor, llegó a Europa a finales del siglo XVIII. Este arbusto de hoja caduca y 4 m de altura máxima destaca porque su columna estaminal, es decir, el conjunto de estambres, no sobrepasa a los pétalos, como ocurre con la rosa de China u otras flores del género. La rosa de Siria posee ramas grises y erectas. Hojas glabras, ovales y trilobuladas de limbos o bordes irregularmente dentados. Sus flores, con pétalos de hasta 7 cm, abarcan un abanico amplísimo de tonalidades: del blanco al azul,

El híbrido violeta es el más extendido de entre la amplia gama de tonalidades que sus flores pueden adquirir.

pasando por el rosa, el lila o el púrpura. Resulta curioso observar su fruto que, encapsulado, está cubierto de pelo.

NECESIDADES

- LUZ. Necesita de pleno sol durante todo el día. Si se coloca junto a una ventana o terraza, ha de resguardarse de las corrientes de viento.
- TEMPERATURA. Mucho más tolerante al frío que la rosa de China, puede soportar durante varias jornadas temperaturas in-

feriores a 0 ºC. También es menos exigente a la hora de adaptarse a situaciones en las que el termómetro sobrepase los 30 ºC.

- HUMEDAD. La única atención que requiere es mantener siempre fresca la parte superior del sustrato del tiesto.

CUIDADOS

- PLANTACIÓN, TRASPLANTE Y PODA. La multiplicación se realiza por esquejes. La poda será anual e intensa; en los ejemplares adultos simplemente se retocará la forma de la planta.

- RIEGO. Abundante y continuo durante todo el año. Las tomas pueden aplicarse cada dos días en el semestre más caluroso y cada tres o cuatro durante las estaciones más frías.

- NUTRICIÓN Y SUPLEMENTOS. Los mismos que la rosa de China.

| Pleno sol | Riego abundante | 0-30 ºC |

IXORA COCCINEA

IXORA

La ixora es la única, de las casi 400 especies de su género, que se cultiva en estado puro. Su origen se encuentra en la India, donde es usada para adornar las estancias interiores de algunos templos. De manera natural es un arbusto perenne, redondeado, de una altura inferior a 150 cm, con hojas lanceoladas de color verde oscuro y un único nervio central ligeramente más claro. Las inflorescencias, que no sobrepasan los 10 cm de diámetro, aparecen en grupos cuyo nacimiento procede del mismo lugar del tallo. En esta disposición, la forma del conjunto es la de una semiesfera.

NECESIDADES

- LUZ. En lugares tropicales y cálidos ha de colocarse en semisombra para resguardarla de los potentes rayos del sol.

En las regiones tropicales y en las zonas húmedas de la India, se cultiva también como arbusto en exteriores.

En climas meridionales puede situarse en habitaciones a pleno sol.

- TEMPERATURA. Gusta de temperaturas suaves, por ello es ideal para decorar lugares climatizados. La temperatura ideal estaría entre los 10 y los 25 ºC.

El riego abundante durante el invierno hace que la planta no realice su descanso anual y aparezca la putrefacción.

• HUMEDAD. La planta pasa por dos temporadas bien diferenciadas: una en la que la humedad ambiente ha de ser elevada, desde el comienzo de la primavera hasta el fin del verano, y otra que dura de tres a cuatro meses, desde mediados de otoño hasta finales del invierno, en la que se ha de situar la planta en un lugar seco y cálido.

CUIDADOS

• PLANTACIÓN, TRASPLANTE Y PODA. El suelo deberá estar compuesto por mantillo de hojas, turba y arena. La multiplicación es sumamente sencilla: se realiza por esquejes en cualquier época del año.

• RIEGO. Intenso durante la época más cálida con riegos cortos y diarios, y durante la estación invernal, espaciados cada quince días.

• NUTRICIÓN Y SUPLEMENTOS. Si las flores aparecen con un color rojizo pálido, ligeramente pastel, puede añadirse al riego quelato de hierro para potenciar la fuerza del pigmento. Para su uso se recomienda seguir las instrucciones del fabricante.

Pleno sol	Riego abundante en verano	10-25 °C

MALPIGHIA COCCIGERA

MALPIGIA

Con más de 800 especies, casi todas trepadoras, la familia de las *Malpighiaceae* nutre de plantas tanto a los horticultores con fines ornamentales como a los que se dedican al cultivo y cuidado de plantas medicinales. La variedad *coccigera*, es un arbusto de menos de 1 m de altura. Sus hojas son impares y pinnadas con bordes recortados que poseen unas finas espinas aceradas.

Las afiladas espinas de sus hojas, hacen que los animales rehuyan todo contacto con esta planta, también se la conoce como azota caballos.

En el sudeste asiático es tradicional podar esta planta dándole multitud de formas y contornos, como animales, jarrones, símbolos, etc. Cualquier jardinero puede intentarlo ayudándose de unas guías metálicas.

Los tallos, de gran flexibilidad y sumamente dúctiles, permiten confeccionar innumerables formas en la maceta. Sus flores, de más de 1 cm de largo, tienen pétalos lobulados. Su color, que es pálido en la zona del nervio central, se va tornando más intenso al acercarse al limbo.

NECESIDADES

- LUZ. Perfecta para colocar en terrazas y ventanas. Necesita la luz de manera continua. Ha de colocarse a pleno sol.
- TEMPERATURA. Hay que protegerla de las temperaturas inferiores a 10 °C y no soporta las superiores a 25 °C.
- HUMEDAD. Durante la estación cálida hay que mantener las hojas y el sustrato húmedo. En el invierno, se recomienda pulverizar sus hojas con agua tibia una vez por semana.

CUIDADOS

- PLANTACIÓN, TRASPLANTE Y PODA. Es recomendable utilizar una mezcla compuesta de 60% de akadama y un 40% de tierra volcánica o arena de río, o bien 50% de turba, 35% de arena y un 15% de mantillo. Se debe trasplantar a principios de primavera, antes de que empiece a brotar. La poda se puede realizar en cualquier época del año al ser una planta de crecimiento continuo.
- RIEGO. Abundante, manteniendo la humedad durante todo el año. Es conveniente pulverizarla cuando permanece en el interior, sobre todo en ambientes secos.
- NUTRICIÓN Y SUPLEMENTOS. Abono compuesto en cada transplante de maceta.

| Pleno sol | Riego abundante | 10-25 °C |

ARÁCEAS

Esta amplia familia de más de un centenar de géneros y unas 3.000 especies comprende plantas herbáceas y florales monocotiledóneas de zonas cálidas y tropicales, sobre todo de América, aunque también de Europa. Suelen ser terrestres y con rizomas o bien trepadoras con raíces aéreas, aunque las hay epifitas. Las hojas, enteras o lobuladas, suelen ser grandes y basales, con pecíolo envainado e inflorescencia en forma de espiga cubierta por una espata de color. Las flores son abundantes pero pequeñas y sin brácteas, unisexuales o hermafroditas y polinizadas por insectos como la mosca o por el viento. Estas plantas también dan frutos en forma de baya.

AGLAONEMA

AGLAONEMA

Originaria del sudeste de Asia (Bangladesh, Filipinas, China), de zonas húmedas, puede medir hasta 1,5 m, con

Las hojas de la frondosa *aglaonema commutatum* muestran nervios y manchas uniformes en blanco grisáceo plateado, así como pequeñas flores difíciles de percibir a primera vista.

La *aglaonema costatum* tiene hojas más rígidas y oscuras, con un nervio central y pequeñas motas en blanco.

falta de aireación secan las hojas y hacen aparecer manchas marrones.
- HUMEDAD. Necesita bastante en verano, de modo que es bueno ponerla sobre un recipiente con grava mojada o pulverizar dos veces por semana las hojas, en cambio en invierno sólo se la debe humedecer si la calefacción está alta. El agua no debe estar muy fría.

una mata que se va ensanchando hacia arriba, tallos carnosos, largos pecíolos, hojas rayadas y lanceoladas, blancas o amarillas y, como es habitual en esta familia, con flores pequeñas en espiga cubiertas de espata y con bayas rojas ovaladas. Son herbáceas y perennes, muy empleadas a nivel ornamental en oficinas y centros comerciales.

También, como es común en las aráceas, es tóxica; sin embargo, se emplea frecuentemente en la confección de ramos aunque, después de tocarlas, hay que lavarse bien las manos. También son llamadas las siempreverdes chinas.

NECESIDADES
- LUZ. Crecerá mejor en ambientes iluminados, aunque tolera bien la escasez de luz.
- TEMPERATURA. Requiere calor, entre 20 y 30 °C y no menos de 10 °C, pero no tolera el ambiente seco; de hecho, para la floración, hay que trasladarla a un sitio más fresco. El frío y la corriente de aire la marchitan, pero mucha sequedad y

CUIDADOS
- PLANTACIÓN, TRASPLANTE Y PODA. En primavera cada dos o tres años cambiar a un tiesto más grande, momento ideal para dividir la mata y multiplicar la planta.
- RIEGO. Unas dos veces a la semana en verano y una vez cada diez días en invierno, incluso menos si el clima es bastante frío. Para la floración espaciar el riego, ya que además su exceso amarillea o empalidece las hojas.
- NUTRICIÓN Y SUPLEMENTOS. Una vez plantada abonar con mezcla de turba cada dos semanas menos en invierno, que se deja descansar para que florezca unos veinte días, lo cual es vital para unas hojas grandes y con buen color. Añadir a cada riego abono líquido para mejorar la floración y evitar problemas.

| Semisombra | Riego medio | 10-30 °C |

ANTHURIUM SP.

ANTURIO O CALA

El anturio proviene de las zonas tropicales y es una planta epifita, perenne y rizomatosa que puede medir hasta 60 cm. De ese rizoma gordo y carnoso salen hojas lanceoladas, de buen tamaño y textura brillante, así como una inflorescencia vertical llamada espádice. La floración puede tener lugar durante todo el año, y destacan dos variedades ornamentales precisamente por sus grandes, exóticas y coloristas flores rojas, rosas, naranjas o blancas en forma de corazón, flores que en realidad son hojas modificadas: *andreanum* y *amnicula*. El anturio enano, más compacto, es ideal para maceta o jardín. Como otras plantas de esta familia, el látex que libera es tóxico para los mamíferos e irrita las mucosas y la piel.

Su inflorescencia recuerda a la del aro.

NECESIDADES

- LUZ. Necesita buena iluminación, pero evitando las quemaduras que podrían producirle los rayos directos del sol.
- TEMPERATURA. Alta y sobre todo uniforme, entre 18 y 25 °C, con una máxima de 30 °C si hay mucha humedad, evitando descensos bruscos en la noche, otoño e invierno trasladando la planta, si es preciso, a habitaciones más calientes con una temperatura mínima de 15 °C. Evitar igualmente corrientes de aire, que hacen que las flores se caigan.
- HUMEDAD. Alta humedad en el aire que se potencia pulverizándola con agua tibia y no calcárea, colocándola

sobre un plato de guijarros mojados o manteniendo siempre ligeramente húmedo el compost. De esta manera no se pondrán marrones las hojas.

CUIDADOS

- PLANTACIÓN, TRASPLANTE Y PODA. Una vez plantado, el anturio irá creciendo paulatinamente y dando flores que, con temperatura cálida, pueden durar todo el año; de otro modo sólo durarán dos meses en verano. A veces hay que sujetar las flores al tallo con varillas para que no lo venzan, dado su tamaño. La primavera de cada bienio trasplantar a una maceta mayor, porque crece poco y lentamente, pero si empezaran a sobresalir las raíces hay que cambiar el tiesto inmediatamente. No necesita poda, únicamente quitar las hojas que se estropeen. De la planta madre de *anturium* se separan los hijuelos con sus raíces o bien se pueden poner a enraizar en es-

En la naturaleza el anturio cristalino puede
alcanzar enormes dimensiones.

invierno a una vez. También se deben
mojar las hojas para que no aparezcan
manchas blanquecinas.

• NUTRICIÓN Y SUPLEMENTOS. En las estaciones primaveral y estival hay que
fertilizar una vez cada dos semanas con
abono líquido, preferiblemente especial
para plantas con flor.

tacas partes terminales que lleven dos
o tres hojas. Se reproduce por partición de vástagos y en floricultura por
esquejes o acodo.

• RIEGO. Abundante y mejor con agua
de lluvia. En verano hay que regarla
tres veces por semana, reduciéndolo en

| Luz difuminada | Riego abundante | 18-25 °C |

ARUM SP.

ARO

Es una planta perenne que se encuentra en
bosques, montañas y zonas umbrías de
Europa central y meridional, como las regiones mediterráneas, carnosa sin pelusa, y
de unos 25 a 50 cm. Brota de un rizoma tuberculoso subterráneo del que salen hojas
sagitales que envuelven las pequeñas flores
y la espata que protege toda la inflorescencia. Los rizomas son venenosos, pero cocidos servían de alimento en la antigüedad.
También da frutos agrupados como glóbulos, que pasan del verde al rojo. Como muchas plantas de la misma familia, el aro es
tóxico, pues sus bayas son venenosas, las

La variedad *maculatum* destaca
por el brillante verde manzana de la espata.

Las bayas del *arum italicum* son venenosas y no deben tocarse.

hojas pueden producir ampollas por ácido oxálico cristalino y posee aroína que produce irritación de la piel, alteraciones del sistema nervioso central y en casos extremos parálisis y muerte. Además desprende un olor desagradable para los humanos que sin embargo atrae a los insectos para la polinización. No obstante, antiguamente se empleaba con fines terapéuticos, en especial para el tratamiento de trastornos gástricos. Entre las especies destacan el *arum italicum* y el *arum maculatum*.

NECESIDADES
- LUZ. Necesitan lugares frescos, en sombra o semisombra.
- TEMPERATURA. Fresca, pero no inferior a 5 °C.

- HUMEDAD. Ha de estar constantemente humidificada.

CUIDADOS
- PLANTACIÓN, TRASPLANTE Y PODA. El sustrato más conveniente es tierra de jardín bien drenada y húmeda. Se reproduce por semillas o separación de macollas cuando acaba la floración, que tiene lugar a final de primavera o principios de verano. Se corta el rizoma longitudinalmente por la mitad y se deja secar colgando de cuerdas.
- RIEGO. Frecuente, cada dos días.

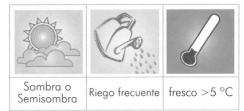

Sombra o Semisombra	Riego frecuente	fresco >5 °C

CALADIUM SP.

CALADIO

Planta herbácea terrestre de tallos subterráneos aplanados y carnosos, contiene savia lechosa, las hojas verdes son simples en espiral, con pecíolos juntos, ovaladas o sagitales, con motas en crema o rojo. La espata es verde clara por fuera y púrpura en el interior con una lámina blanca, flores unisexuales masculinas y

Las variedades *humboldii* y *picturatum* difieren del resto en el color de sus hojas. Éstas son verdes y con nervaduras moradas.

femeninas poco llamativas y frutos blancos con semillas. Habita sobre piedras calizas en bosques húmedos y es nativa de América Central y del Sur y Antillas, en particular Costa Rica, llegando hasta los 40 cm en su hábitat natural. Sus hojas, si se dejan en agua 24 horas, se emplean en arreglos florales que pueden durar más de dos semanas. Son tóxicas y producen quemaduras e irritación por ingestión a hombres y animales. Algunas especies de las dieciséis o diecisiete que hay son:

- *Caladium* bicolor o Corazón de Jesús. Procede de Amazonia, lugar donde debió utilizarse como hortaliza y planta medicinal. Tiene hojas verdes sagitales con motas blancas y nervios rosados.
- *Caladium esculentum.* De verde follaje.
- *Caladium humboldtii.* Brasileño, con hojas casi traslúcidas y franjas blancas y verdes.
- *Caladium picturatum.* Pueden tener hojas verdes con nervadura blanca o rojas, en cualquier caso estrechas.
- *Caladium schomburgkii.* De Guayana y Brasil, posee hojas más pequeñas que otras especies, aunque más

gruesas, que son sagitales y de muchos colores.

- *Caladium hortulanum.* Es el más comercializado.

NECESIDADES

- LUZ. Agradece los rayos solares durante la mañana y la tarde de manera indirecta. No puede tolerar la exposición directa y prolongada a la luz.
- TEMPERATURA. Cálida, unos 20 o 21ºC. No resisten el frío de modo que se debe evitar los cambios y las bajadas de temperaturas nocturnas.
- HUMEDAD. Alta pero sin mojar las hojas, por lo que es bueno poner la planta cerca de un humidificador o sobre piedras mojadas pero nunca pulverizar las hojas.

CUIDADOS

- PLANTACIÓN, TRASPLANTE Y PODA. Se planta en marzo, poniendo dos o tres tubérculos por tiesto con sustrato de mantillo de hojas, arena y brezo o tierra de castaño, que se dejan durante el invierno en la maceta a unos 15 ºC. Se reproduce por división de los tubérculos (las plantas hijas salen del bulbo) que deben conservarse a temperatura caliente de 20 a 27 ºC y regarse con frecuencia. Floración en verano, y cuando se marchite y entre en el periodo de reposo, suspender el riego y cortar a ras de suelo o sacar el bulbo.

Las diferentes variedades del caladio pueden plantarse en la misma maceta, consiguiendo un agradable efecto estético por los diferentes colores y matices de sus hojas.

- RIEGO. Ha de hacerse moderadamente con agua tibia hasta que brote, aumentar durante el crecimiento e ir disminuyéndolo en otoño cuando las hojas empiecen a marchitarse, hasta suspenderlo. No encharcar la planta porque pudre el tubérculo.
- NUTRICIÓN Y SUPLEMENTOS. Aportar a la planta fertilizante muy diluido cada dos o tres semanas en época de crecimiento. No abrillantar las hojas con productos. Evitar fertilizantes nitrogenados.

| Luz difusa | Riego medio | aprox. 20 °C |

DIEFFENBACHIA SP.

DIEFENBAQUIA

Muy empleada en jardinería, esta planta tropical procedente de regiones selváticas de Centroamérica y Sudamérica, como Brasil, se introdujo en Europa a finales del siglo XIX y comprende 30 especies de las que la más cultivada es la *dieffenbachia bowmanii*. De tallo erguido, las hojas son algo asimétricas, ovales o lanceoladas, y con franjas que rompen su oscuro color verde. Es perenne, llega a medir hasta 1,20 m de altura, con flores que nacen en verano, verdosas, alargadas y poco atractivas. Su savia es venenosa, de forma que tras tocar la planta hay que lavarse las manos, así como evitar que los niños la toquen y el contacto con las mucosas.

NECESIDADES

- LUZ. Bastante luminosidad sin impacto directo del sol, aunque tolera bien la semisombra.
- TEMPERATURA. Mínima de 10 o 12 °C porque es muy sensible al frío y por debajo de esos grados

La *dieffenbachia* crece a lo alto, con un fino pero fuerte tallo parecido al de los bambúes, del que brotan grandes hojas lanceoladas verde oscuro con motas en color crema.

Aunque es muy bella hay que lavarse las manos tras manipular la planta pues puede causar irritación y heridas. Sus flores carecen de valor ornamental.

pierde el follaje inferior o amarillean las hojas. Debe estar entre 20 y 30 °C.

• HUMEDAD. Bastante; para que el aire no sea seco así como para evitar calor excesivo de la calefacción, se debe pulverizar con frecuencia.

CUIDADOS

• PLANTACIÓN, TRASPLANTE Y PODA. La tierra ha de ser ácida con un pH de 5 a 6, de tierra vegetal y perlita para drenar o de turba con corteza. En la primavera de cada dos o tres años se trasplanta a una maceta más grande y se cambia todo el sustrato. Además es bueno podar para rejuvenecer la planta cuando le queden pocas hojas; para ello se corta la planta a unos 10 o 20 cm de la base. La multiplicación es por acodo o esquejes, que se colocan cada uno en un tiesto distinto con sustrato de arena o arena y turba a unos 22 °C y con humedad, de modo que echarán raíces en un mes o mes y medio.

• RIEGO. El sustrato debe estar siempre ligeramente húmedo, de otro modo las hojas se secan, amarillean o se ponen marrones, aunque la frecuencia del riego depende de la estación: dos o tres veces a la semana en verano y cada diez o doce días en invierno. Tampoco es bueno regar en exceso porque el tallo se pudre y las hojas se caen o amarillean. El agua no debe estar muy fría.

• NUTRICIÓN Y SUPLEMENTOS. En periodo de crecimiento, esto es, primavera y verano, abonar y diluir en el agua de regar fertilizante líquido cada dos semanas. También cada quince días o mensualmente alimentarla con un abono mineral soluble. Para evitar plagas usar preventivamente productos ricos en cobre y antibióticos. Se pueden emplear hormonas para que las nuevas plantas enraicen mejor.

| Semisombra | Riego moderado | 10-30 °C |

HELICODICEROS SP.

HELICODICERO

Este género, que sólo posee una variedad, *helicodiceros muscivorus*, es típicamente mediterráneo y lo encontramos en islas como las Baleares, Córcega y Cerdeña, en lugares a la orilla del mar. Se cultiva en Europa desde el siglo XVI.

   Esta planta, que se cría muy bien en clima mediterráneo tiene un proceso de polinización curioso, ya que sólo las flores femeninas son receptivas el primer día de florecimiento, especialmente a mediodía, pero con el inconveniente de que desprenden un desagradable olor a marisco podrido. Al día siguiente serán las flores masculinas las fértiles y vertedoras de polen. Siempre y cuando haga sol, la flor en espata se abre, entran las moscas, y luego se cierra dejándolas atrapadas. Cuando vuelve a abrirse las moscas recubiertas de polen salen y van a otra planta, asegurando la polinización.

Su peculiar sistema de polinización hace que su flor se abra con el sol y atrape a las moscas, que son las portadoras del polen hacia otra planta.

NECESIDADES
- LUZ. Necesita buena iluminación. Durante las estaciones más cálidas hay que resguardarla de la luz solar en las horas centrales del día.
- TEMPERATURA. Perfecta para climas templados y casas con temperatura constante. Necesita crecer entre los 12 y los 22 °C.
- HUMEDAD. Requiere bastante humedad, por ello crece en lugares costeros.

CUIDADOS
- PLANTACIÓN, TRANSPLANTE Y PODA. El transplante ha de realizarse con cuida-

do, pues las raíces son muy delicadas y cualquier golpe puede dañarlas. Para su reproducción se recurre a la multiplicación de un tallo, aunque siempre la mejor forma de conseguir ejemplares sanos y robustos es la adquisición de nuevas semillas.
- RIEGO. Necesita la misma cantidad de agua durante todo el año. Los riegos serán copiosos y una vez cada diez días.
- NUTRICIÓN Y SUPLEMENTOS. En la época de floración, y durante un mes, se debe agregar fertilizante líquido al agua de riego.

| Buena iluminación | Riego constante | 12-22 °C |

PHILODENDRON

FILODENDRO

Esta decorativa planta de interior de América Central, cuyo nombre proviene del griego *philo*, amar, y *dendron*, árbol, es muy comercializada, tanto en su centenar de especies como en los numerosos híbridos, ya que es sumamente fácil de cultivar gracias a su adaptabilidad y a que no requiere muchos cuidados. Encontramos filodendros arbustivos, propios de los bosques tropicales, que crecen rápido y florecen bien en interior si son maduros y trepadores aunque, como tienen raíces aéreas en los tallos, hay que usar soportes. Entre ellos destacan las siguientes especies:

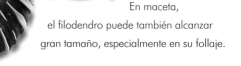

En maceta, el filodendro puede también alcanzar gran tamaño, especialmente en su follaje.

ARBUSTIVOS

- *Philodendron bipinnatifidum*. Deriva del latín pluma, por cómo las hojas se hunden en los bordes. Procede de Brasil y no es muy alto, aunque sus hojas son muy grandes, de hasta 60x40 cm.
- *Philodendron callinofolium*. Más compacto por sus tallos gruesos, aunque sus hojas son delgadas.
- *Philodendron black prince*. También compacto y con la peculiaridad de que sus hojas son muy oscuras.
- *Philodendron wendlandii*. Posee hojas lanceoladas que aparecen circularmente, pero es menos común.

TREPADORES

- *Philodendron scandens*. Es el más conocido, con sus pequeñas hojas en forma de corazón. Puede plantarse en macetas colgantes como planta rastrera.
- *Philodendron erubescens, philodendron esmerald queen, philodendron red esmerald, philodendron tuxla* y *philodendron esmerald prince* son híbridos que crecen deprisa, con hojas más grandes que las de *philodendron scandens*, ya sean verdes o pardo-rojizas, y que podemos encontrar como decoración de grandes edificios.

Otros filodendros son: *philodendron pertusum, philodendron melanochrysum*, con hojas negro-verdosas y aterciopeladas, *philodendron ilsemanii*, de hojas con franjas más claras y desarrollo lento y *philodendron elegans*. Viven unos cuatro o cinco años por lo que la inversión en estas plantas compensa al poder disfrutar de ellas tanto tiempo, además, soportan adversidades como corrientes de aire o humo.

NECESIDADES

- LUZ. Tolera la semisombra, aunque es más recomendable una buena iluminación para vigorizar los tallos, pero sin sol directo, que les produce quemaduras.

- TEMPERATURA. Como planta tropical requiere ambientes cálidos, con una mínima de 10 °C sobre todo en invierno, ya que el frío ralentiza el crecimiento, deja el follaje lacio y amarillea las hojas, y una máxima de 40 °C siempre que la humedad supere el 90%. En cualquier caso siempre que la temperatura suba de 24 °C hace falta humedad constante para que no se caigan las hojas.
- HUMEDAD. Alta, para ello se pulveriza dos veces a la semana durante todo el año, con agua templada, o se colocan humidificadores.

CUIDADOS

- PLANTACIÓN, TRANSPLANTE Y PODA. Se planta con cualquier sustrato estándar, como turba, arena o tierra vegetal, y se pasa a un tiesto mayor anualmente, en primavera, o cuando no dé nuevas hojas. Cuando ya esté en una maceta grande sólo se cambia cada año la capa de tierra superior. Se puede podar por encima de los nudos cuando la planta esté fea o con follaje muy disperso. Se multiplica en

época estival, por esquejes apicales de tallo y manteniendo el futuro ejemplar en el tiesto definitivo a unos 25 °C, vaporizándola a menudo para que eche raíces en mes o mes y medio. También se reproducen por esquejes de nudo, que es más lento, o por semillas, esto último sólo en clima tropical.

- RIEGO. Desde arriba, dos veces a la semana en verano, mientras que en invierno con una vez es suficiente.
- NUTRICIÓN Y SUPLEMENTOS. Usar un abono completo cada semana y fertilizante líquido diluido cada dos semanas, pero sólo en primavera y verano o cuando no dé nuevas hojas. Hay que aportar quelato de calcio si hay sensibilidad a la salinidad y emplear de vez en cuando antibióticos y los productos propios para prevenir plagas y enfermedades.

| Buena iluminación | Riego moderado | 10-40 °C |

Aunque puedan cultivarse en interior con gran valor decorativo, en estado natural resultan impresionantes por su tamaño y su belleza.

XANTHOSOMA LINDENII

XANTOSOMA

Esta planta de América tropical y subtropical, en especial de Colombia, es de mata abierta, herbácea y de rizoma tuberoso, poseyendo hojas verdes con nervios blancos en los bordes, que son sagitales y onduladas. De pecíolos largos, tienen inflorescencia en espádice blanco-amarillo cubierto de espata verdiblanca y no suele dar frutos. Crece rápidamente, pudiendo alcanzar de 20 a 40 cm. Entre sus 45 especies, muchas ricas en almidón y aptas para el consumo, destacan las siguientes:

- *Xanthosoma sagittifolium*. Sus hojas y tubérculos se consumen como verdura para humanos y alimento animal.
- *Xanthosoma atrovirens*. De Venezuela, de follaje verde oscuro.
- *Xanthosoma pubescens*. Posee hojas verde esmeralda sagitales de unos 30 cm.
- *Xanthosoma violaceum*. Tiene hojas sagitales con muchos nervios.
- *Xanthosoma roseum*. De grandes hojas con forma de oreja de elefante.
- Costilla de Adán, con hojas rasgadas que se unen en el filo.

NECESIDADES

- Luz. Hay que mantener la planta en sombra. En su hábitat natural las enormes plantas tropicales la cubren para que la luz solar no incida sobre ella de manera directa. En interiores su emplazamiento ideal son las esquinas de grandes y luminosos salones.
- Temperatura. De 18 a 23 °C con un máximo de 30 °C, con humedad elevada.

Evitar corrientes de aire frío.

- Humedad. Pulverizar las hojas regularmente. Un ambiente seco puede favorecer el ataque de arañas rojas.

CUIDADOS

- Plantación, transplante y poda. El sustrato ideal es una mezcla de mantillo enriquecido y de hojas. Se cambia de tiesto cada tres o cuatro años. Se reproduce por esquejes de tallo, semillas o división de rizomas en primavera, siempre dejando una yema, conservando el brote en zona de sombra, con poco riego y unos 24 °C.
- Riego. No requiere demasiada agua, puede regarse cada diez días de mayo a septiembre, y en otoño e invierno se puede reducir aún más el riego.
- Nutrición y suplementos. Es bueno aportar fertilizante cada quince días. No se deben emplear abrillantadores ni insecticidas foliares.

| Sombra | Riego escaso | 18-30 °C |

BROMELIÁCEAS

La familia de las bromeliáceas, que comprende 60 géneros y más de 1.400 especies, procede en su gran mayoría de regiones americanas templadas, tropicales y subtropicales, y las Antillas, a excepción de la *pictairnia feliciano*, originaria de África occidental. Los primeros dibujos de estas plantas, del botánico Plumier, datan de finales del siglo XVII. Nacen en especial en zonas forestales, sobre las ramas y cortezas de los árboles (es decir, son epifitas) o pegándose a las rocas, nutriéndose de mantillo rico en nitrógeno. También las hay terrestres o xerófitas que habitan lugares secos, como la *puya* y la *dickia*, así como autótrofas sin raíz como la *tillandsia usneoides* o musgo español.

Destacan por su llamativo follaje, suelen ser verdes, con puntos o rayas de diverso colorido en sus hojas, con forma de cinta más o menos ancha y márgenes lisos, dentados o espinosos, hojas imbricadas en forma de roseta de donde emerge la flor, así como por sus atractivos tallos floridos. Las que tienen hojas de varios colores necesitan más luz para acentuar su brillo y procurarle un aspecto más saludable y llamativo a la planta.

Su tamaño puede llegar a variar desde 5 cm hasta alcanzar incluso 10 m de altura, aunque para que crezcan bien y den flores requieren una iluminación potente, ya sea natural o artificial, debido a su origen tropical, que explica también que necesiten temperaturas tibias de unos 25 °C con un máximo de 30 °C durante el día a, aproximadamente, de 16 a 10 °C de noche. En caso de que se coloquen en el alféizar de la ventana es conveniente sellar con adhesivo los quicios para evitar el enfriamiento de la planta.

En la mayor parte de las bromeliáceas sus hojas forman un depósito natural que aloja gran cantidad de agua

de lluvia, de modo que no es preciso regarlas demasiado porque podría pudrirse la raíz, aunque sí es bueno vaporizar el follaje a menudo con agua no caliza. Igualmente, sus hojas y raíces condensan la humedad ambiental mediante la absorción de agua y evitan desecarse gracias a una capa cerosa que las recubre. La humedad debe ser con carácter general del 45 al 50 por ciento.

Con respecto a la fertilización, puede llevarse a cabo cada, aproximadamente, tres o cuatro semanas con una mezcla de fertilizante multiuso soluble, directamente en la maceta. La tierra debe ser ácida y porosa, no alcalina, con un pH entre 4 y 6, de modo que provea humedad pero también permita la circulación del aire.

Además, la humedad se puede aumentar colocando la planta sobre un recipiente con guijarros o bolas de arcilla mojados. Crecen lentamente durante la primavera y principios de verano y reposan durante finales de verano y otoño. Sólo florecen una vez, ya sea en cualquier época del año o en una en concreto, pero la flor tiene una vida de varios meses. Es bueno meter la planta en una bolsa de plástico transparente con una manzana, pues el etileno contribuye a la floración.

La reproducción suele realizarse con los hijuelos que salen en los laterales de la planta madre, en primavera. Se cortan y se plantan con turba, mantillo de hojas y corteza de pino triturada a partes iguales. De este modo tardan alrededor de un año en florecer, mientras que si se emplean semillas el plazo se amplía a cuatro años. Sufren por el sol directo, las arañas rojas en caso de falta de humedad, las cochinillas y cochinillas algodonosas, el exceso de humedad, los abrillantadores y algunos insecticidas. Las que poseen flores más llamativas atraen a aves e insectos que a cambio de néctar ayudan a la polinización.

AECHMEA SP.

AECMEA O PIÑUELA

Este amplio género comprende aproximadamente 170 especies, en su mayor parte epifitas, terrestres o litó-fagas, originarias del centro y sur de América. Poseen largas hojas rígidas, rectilíneas, pero con frecuencia algo curvadas e incluso con los bordes serrados. Las flores, pequeñas y de diversos colores, aparecen en espiga. El Museo de Historia Natural de París recibió como donación de Quesnel la primera *aechmea*, en 1816. Entre las especies destacan las siguientes:

La especie *fasciata* se caracteriza por sus brácteas rosas con espinas y flores azul violáceo.

- *Aechmea victoriana.* Epifita de hojas anchas rojas en la base y con roseta cónica, es de color escarlata y crece lentamente llegando a medir de 20 a 60 cm. Florece sólo en verano, en forma de péndulo.
- *Aechmea fasciata.* Es muy popular, con hojas satinadas en verde manchadas transversalmente de plateado. Tiene brácteas rosas con espinas y flores azul violáceo o rosa que pueden durar hasta cuatro meses.
- *Aechmea chantinii.* Es de un verde oliváceo con franjas más oscuras, brácteas naranjas en péndulo, flores amarillas y rojas y bayas blancas o azules.
- *Aechmea cylindrata.* Puede ser epifita o rizomatosa, sus flores rojas y azules emergen de las hojas verdes con la punta rojiza.
- *Aechmea distichanta.* Con flores de diversas tonalidades, del blanco al azul pasando por el rojo y el rosa, y que puede ser terrestre o epifita. Es parecida a la *gamosepala.*
- *Aechmea fulgens* y *fulgens discolor.* La primera con floración de cáliz rojo y pétalos morados, al igual que la parte inferior de las hojas, que en el haz son verdes; y la segunda, de Guayana, con follaje e inflorescencia similares y bayas rojas.
- *Aechmea nidularioides.* Tiene hojas en forma de cinta que pueden medir hasta 60 cm y roseta con brácteas rojas e inflorescencia amarilla. Es similar a la *nudicaulis,* aunque ésta tiene espinas, hojas con envés gris y las flores en espiga.
- *Aechmea pineliana.* Es notable por sus hojas con bordes espinados y rojos, brácteas rojo brillante y flores que van del amarillo al negro, a diferencia de las rojas y azules de la *A. miniata.*
- *Aechmea shining light.* Es un híbrido de hojas verde claro entre las que resaltan las brácteas y flores ramificadas rojas. Otro híbrido es la *royal wine,* con flores pendulares en azul y bayas naranjas.

La variedad *chantinii* puede tener bayas blancas o azules y sus flores son amarillas y rojas.

NECESIDADES

- LUZ. Necesitan bastante iluminación sin recibir el sol de pleno, ya que el sol directo puede quemar las hojas y crear manchas marrones.
- TEMPERATURA. Precisan un ambiente cálido y templado, por ello en zonas de climatología tropical se cultivan exteriormente, mientras que en regiones frías se cuidan en interior. Una temperatura baja puede pudrir el tallo floral, siendo la mínima de 12 a 15 °C y la idónea de 20 a 22 °C.
- HUMEDAD. Requiere bastante, pero es necesario controlarla pues tanto el exceso como el defecto son dañinos. El exceso, especialmente en invierno, puede pudrir la planta originando manchas marrones en las hojas y marchitando la roseta. La sequedad acarrea el ataque de arañas rojas y arruga las hojas, para lo cual la solución es pulverizarlas con regularidad.

CUIDADOS

- PLANTACIÓN, TRASPLANTE Y PODA. Son de fácil cultivo y la fertilización se realiza rociando las hojas cada tres

semanas desde la primavera hasta el verano. Generalmente la floración tiene lugar una única vez, y tras ella las hojas se secan y la planta muere. No obstante se puede multiplicar, aunque es un proceso largo, por separación de vástagos laterales en primavera o por semillas. En los primeros casos, una vez cortados se plantan en corteza de pino triturada mezclada con turba y mantillo, todo a partes iguales, y la floración tardará mínimo un año.

- RIEGO. Hay que regarlas con agua, preferentemente de lluvia, a temperatura ambiente, que se echa en el cogollo y en la parte alta de las hojas.
- NUTRICIÓN Y SUPLEMENTOS. Es conveniente añadir al agua una vez al mes un abono foliar diluido o un abono para orquídeas. En caso de ataques de pulgón hay que rociar la planta con agua y jabón, y si se trata de cochinillas aplicar un algodón con alcohol de quemar.

| Luz difuminada | Riego moderado | 12-22 °C |

ANANAS COMOSUS

PIÑA TROPICAL

La *ananas comosus* fue descubierta por Cristóbal Colón en su segundo viaje, llevándola a Europa a finales del siglo XV. Es un género nativo de Brasil, donde significa para los indígenas *fruta excelente,* con ocho especies y otras variedades ornamentales, tales como *ananas ananassoides, ananas arvensis, ananas bracteatus, ananas lucidus, ananas parguazensis y ananas sativus.* A diferencia de otras bromeliáceas, ha de disponer de un sustrato muy húmedo. Su inflorescencia es de color rojo, y se transforma en poco tiempo en un suculento fruto compuesto. Su roseta abierta posee hojas con forma de espada (ensiformes), largas y curvadas con terminaciones en punta.

Una vez que la planta ananás está en su máxima madurez aparece el delicioso fruto de la piña, que madura en el verano del hemisferio sur y se consume en el invierno del hemisferio norte.

NECESIDADES
- **LUZ.** Requiere bastante luz y admite sol directo durante algunas horas del día. La escasez de iluminación hace que las hojas pierdan el color.
- **TEMPERATURA.** Cálida, alrededor de 23° C.
- **HUMEDAD.** En primavera y verano, cuando el clima sea caluroso, es bueno colocar la planta sobre guijarros mojados para humedecerla, además de pulverizar las hojas dos veces por semana, lo que evita también la sequedad de sus puntas.

CUIDADOS
- **PLANTACIÓN, TRASPLANTE Y PODA.** Cuando muere la piña tras fructificar, para obtener una planta de interior hay que cortar la parte superior de ésta, justo a la altura del penacho de hojas que, una vez seco, se planta en sustrato ligero. Todo ello se coloca en una bolsa de plástico transparente que ha de depositarse en un sitio cálido. Sólo en unas semanas habrá dado raíces, aunque no fructificará. También se puede multiplicar a partir de los retoños que aparecen en la base. El ejemplar debe trasplantarse cada dos años.
- **RIEGO.** Hay que distinguir la temporada estival del invierno. En la primera, el riego debe ser generoso (una o dos veces por semana) e, incluso, pasar la planta a sitios más frescos; durante la segunda apenas tiene que regarse.

• NUTRICIÓN Y SUPLEMENTOS. Ha de administrarse abono químico durante la floración, en pequeñas dosis cada quince días. Se aconseja que siempre que se usen fertilizantes químicos se sigan las recomendaciones del fabricante.

| Luz difuminada | Riego medio | 23 °C |

BILLBERGIA

BILBERGIA

Originarias de Brasil y Argentina, se encuentran en el centro y sur de América, habiendo llegado la primera a Europa poco antes de 1850. Son mayoritariamente epifitas, aunque las hay terrestres, con roseta en forma de embudo, es decir, las hojas se superponen desde la base creando un depósito acuoso. Su mata es densa, con hojas coriáceas, verdes, estrechas, en forma de cinta de bordes dentados y con vástagos en la base. De las brácteas, rojas, penden una especie de racimos de flores tubulares que pueden ser verdes, azules o rosas y que duran muy pocos días. Entre las 50 variedades, que miden entre 0,4 y 0,6 m de altura, destacan: *amoena, distachia, leptopoda, pyramidalis, zebrina, venezuelana, fastuosa, humilis, chrysantha Jacq, leptopoda, mexicana, nutans, palmeri Mez, oxysepala, sylvestris wi, viridiflor y windii.*

El género *billbergia* comprende plantas con hojas de rayas blanquecinas, brácteas rosas y flores en espiga colgante, de vivos colores como el morado o el blanco verdoso.

NECESIDADES

• LUZ. Estas plantas han de estar en semisombra, bien iluminadas pero sin recibir sol directo, que puede quemar el follaje.
• TEMPERATURA. Requieren ambientes templados, de entre 13 y 23 °C, incluso pueden cultivarse en invierno y en exterior si la temperatura se mantiene en esos parámetros.
• HUMEDAD. En invierno requieren poca humedad y hay que dejar el sustrato casi seco, pero el resto del año sólo hay que dejarlo secar entre dos riegos.

CUIDADOS

• PLANTACIÓN, TRASPLANTE Y PODA. Crecen rápido aunque sólo dan flor una vez al año, en verano, y para plantarlas se emplea una mezcla de mantillo, turba y arena en proporción de 4-2-1. El sustrato no debe ser calizo. Se multiplican mediante los vástagos basales en primavera.

- RIEGO. El sustrato ha de estar bien drenado: lo normal es regar una vez al día evitando el agua calcárea, aunque como son plantas de embudo guardan depósitos de agua de lluvia y puede ser suficiente vaporizar.
- NUTRICIÓN Y SUPLEMENTOS. Es bueno añadir al agua con que se riega abono

líquido cada dos o tres semanas. Son sensibles a las plagas de araña roja, cochinilla y cochinilla harinosa, de modo que pueden emplearse productos para prevenirlas.

| Semisombra | Riego frecuente | 13-23 °C |

BROMELIOIDEAE

BROMELIA

Nativas de Brasil aunque algunas especies son originarias de Centroamérica, Sudamérica y Antillas, su denominación es tributaria de Olaf Bromelius, botánico sueco. No obstante, es común llamar con el mismo nombre a otros géneros de la familia de las bromeliáceas. De roseta plana, sus hojas rígidas tienen márgenes foliares con espinas, brácteas coloreadas y las flores tubulares de espiga corta tienen ovario ínfero, es decir, que se desarrolla por debajo del profundo cáliz. Dan bayas carnosas y normalmente amarillas como fruto. Algunas plantas de esta familia, que son perennes y pueden alcanzar un metro de altura, son medicinales, mientras que de otras como *Bomelioidea serra* y *Bomelioidea hieronymi* se obtienen fibras que sustentan la economía de la etnia wichí de Argentina.

Esta variedad de bromelia tiene hojas acabadas en pinchos y una roseta central de color rojo o naranja.

NECESIDADES

- LUZ. Deben colocarse en lugares luminosos, pero sin luz solar directa.
- TEMPERATURA. No debe ser muy fría, la idónea oscila entre 15 y 20 °C.
- HUMEDAD. Como planta tropical necesita humedad constante, mediante pulverización, sobre todo en los meses de más calor. Puede sacarse al exterior cuando llueva.

La especie *corazón rojo* es sumamente decorativa y ornamental gracias a su combinación de colores.

CUIDADOS

- **Plantación, trasplante y poda.** El terreno ideal es el ácido, no careo, para lo cual se mezcla a partes iguales tierra de jardín, arena y turba. En la base nacen rebrotes que se emplean para la multiplicación, separándolos por debajo de la raíz y trasladándolos a una nueva maceta que se mantendrá en lugar cálido y húmedo.

- **Riego.** Una vez a la semana, no sólo en la tierra sino también en el cuenco que forman las hojas se debe poner agua tibia. El agua ha de ser sin cal: de lluvia, hervida o descalcificada.

- **Nutrición y suplementos.** Se abona la planta, que necesita muchos nutrientes, cada quince días tanto en primavera como en verano. En el agua de regar se puede añadir abono universal.

| Luz difusa | Riego moderado | 15-20 °C |

CRYPTANTHUS SP.

CRIPTANTO

Nativa de Brasil oriental, es una planta terrestre que recuerda a una estrella de mar; tiene la roseta plana y compacta, de la que emergen de seis a veinte hojas rígidas con matices rosáceos, de bordes ondulados y afilados. Sus flores son blancas. En su hábitat natural, crece en el estrato herbáceo de la selva, con un sustrato ligeramente ácido. De manera ornamental se utiliza con acierto en combinación con orquídeas.

El número de hojas y el color del criptanto puede variar, así como la mayor o menor forma de sierra de los bordes del follaje.

NECESIDADES

- **Luz.** Buena iluminación, evitando el sol directo.

El criptanto recuerda a una estrella de mar por sus hojas algo curvadas y la forma en que se distribuyen.

- Temperatura. Entre 4 y 38 °C, siendo la idónea para el crecimiento de 15 a 30 °C.
- Humedad. Mantener una humedad media, pues la falta de la misma reseca la planta.

CUIDADOS

- Plantación, trasplante y poda. El sustrato ideal ha de ser poroso y rico en musgo de turba u otro material orgánico.

Una vez plantada se deben eliminar cada cierto tiempo las hojas secas. Cuando acaba el florecimiento la planta muere, pero se puede multiplicar usando los hijuelos basales, mejor en primavera o verano, aunque tardará años en florecer.

- Riego. Conviene regarla tres veces por semana en verano y cada quince días en invierno, ya que al ser terrestre no absorbe agua por las hojas.
- Nutrición y suplementos. Hay que abonar en las fases de crecimiento, preferentemente con fertilizante de liberación lenta incluso añadiendo fertilizante líquido.

Luz difuminada	Riego moderado	4-38 °C

GUZMANIA MINOR

Guzmania

Esta planta es una de las más habituales en todas las tiendas de flores. De hojas perennes, nace espontáneamente en regiones tropicales de Sudamérica y puede llegar a medir hasta un metro de alto, con sus brillantes hojas verdes lanceoladas y sin asomo de pelusa. Las brácteas, que pasan del verde al rojo, se superponen en un vástago de unos 25 cm, mientras que las flores aparecen después de dos años y duran sólo unos días. La roseta tiene hojas coriáceas, curvadas, lar-

Las guzmanias son variadas y ofrecen distintas formas, como ésta, que presenta una brillante roseta en rojo anaranjado.

gas y erectas, con brácteas de las que surgen flores tubulares.

NECESIDADES

- Luz. Lugares iluminados, pero sin sol directo para evitar que se reseque.
- Temperatura. Bastante cálida, en el intervalo 15-18 °C, y sin bajar de 12 a 14 °C en invierno.
- Humedad. El terreno ha de estar húmedo y es bueno vaporizar el follaje evitando el exceso, que produce podredumbres y manchas negras en la parte inferior de la roseta; en estos casos hay que suspender el riego.

CUIDADOS

- Plantación, trasplante y poda. El terreno no debe ser calcáreo sino ácido, con mezcla de arena, tierra de jardín y rico en turba. El cultivo es fácil y se multiplican a partir de los rebrotes en la base de la planta madre, que se separan y plantan en una nueva maceta.
- Riego. No es preciso regar profusamente el suelo, sino que se pueden depositar unos dos dedos de agua en la copa formada por las hojas, cambiándola cada quince días para evitar hongos. Emplear agua sin cal, ya sea de lluvia, descalcificada o hervida.
- Nutrición y suplementos. Para nutrir la planta es bueno abonar cada quince días y añadir al agua de riego abono universal o abono foliar. Hay que tener cuidado con los pulgones, ante los cuales se debe usar insecticida y aumentar el riego.

| Luz difusa | Riego escaso | 12-18 °C |

NEOREGELIA SP.

Neoregelia

El nombre de este género, introducido en Europa desde Brasil en el siglo XIX, se debe al director del Jardín Botánico de San Petersburgo, el doctor Edward A. von Regel. Es una de las más grandes dentro del género de las bromeliáceas; su roseta con hojas rectas, rígidas, largas, verdes y de un diámetro que alcanza los 60 cm tiene en su centro un área de espinas negras y un color rosa muy vivo. Las flores azules y blancas, que se abren empezando por el borde de la inflorescencia, son diminutas y se encuentran rodeadas por unas brácteas de color rojo brillante.

NECESIDADES

- LUZ. Requiere luz intensa pero sin impacto solar directo.
- TEMPERATURA. Cálida, mínima de 15 °C sobre todo en invierno ya que por debajo de 10 °C mueren.
- HUMEDAD. Humedad elevada, es bueno pulverizar a diario.

CUIDADOS

- PLANTACIÓN, TRASPLANTE Y PODA. Plantarlas en una mezcla para orquídeas completada con mantillo y cambiar de maceta en primavera. Multiplicar con vástagos en primavera y verano. Cuidado con el ataque de arañas rojas y cochinillas.

- RIEGO. Se riega en el centro de la roseta con agua no caliza, una o dos veces al día, menos en épocas frías. Hay que dejar secar el agua acumulada en la roseta una vez a la semana.
- NUTRICIÓN Y SUPLEMENTOS. Es recomendable el abono líquido, bien diluido, en época de floración y administrado cada 15 días.

| Luz intensa indirecta | Riego abundante | más de 15 °C |

NIDULARIUM

NIDULARIA

Originaria de Brasil, epifita, perenne, con un sistema de raíces muy desarrollado, sus hojas son de color verde brillante y con espinas, forman una densa roseta terrestre y en su corazón se abren las flores, que adquieren un color rojo sangre de gran valor ornamental. Cuenta con 46 especies y pueden medir hasta 40 cm.

NECESIDADES

- LUZ. Semisombra con protección de los rayos del sol en un sitio aireado, aunque la luz, siempre y cuando sea en pequeñas dosis e indirecta, favorece la intensidad del color.
- TEMPERATURA. De 18 a 20 °C con una mínima de 10 °C.

Esta nidularia tiene hojas de color verde intenso y se distingue por la mancha violeta en la zona del tallo.

- HUMEDAD. Necesita buena humidificación, para lo que es adecuado vaporizar regularmente las hojas.

CUIDADOS

- PLANTACIÓN, TRASPLANTE Y PODA. Una vez plantada, las raíces crecen poco, así que no hace falta trasplantarla, aunque de hacerse es mejor en primavera. Se multiplica por los hijuelos de la base, que tardarán bastante en florecer.
- RIEGO. Regar con frecuencia en verano y reducir en invierno, evitando que se encharque y se pudra. El agua de la ro-

seta debe cambiarse cada diez o quince días.
- NUTRICIÓN Y SUPLEMENTOS. No lo necesita.

| Luz abundante indirecta | Riego medio | 18-20 °C |

TILLANDSIA

TILANSIA

Nativas de Ecuador, Chile, los Andes en Argentina e, incluso, del sur de Estados Unidos. En botánica, las *tilansias* se clasifican en seis grupos: *caliginosa, myosura, loliácea, rectangula, capillaris* y *recurvata*. Entre sus particularidades, hay que mencionar que de la roseta salen gruesas hojas verdes lanceoladas, arqueadas y acabadas en punta, brácteas rosadas superpuestas en espiga, flores de ovario súpero en tono azul violáceo y frutos capsulares rellenos de semillas envueltos en una película algodonosa. No poseen raíz, sino una especie de ganchos con los que se fijan.

NECESIDADES

- LUZ. Abundante pero indirecta, lo idóneo es colocarla junto a una cristalera.
- TEMPERATURA. Elevada y constante con una mínima de 15 °C.

- HUMEDAD. Mantener humedad constante, pero cuidar que no sea excesiva, lo que podría pudrir la planta y crear manchas negruzcas en la roseta.

CUIDADOS

- PLANTACIÓN, TRASPLANTE Y PODA. El sustrato sólo cumple la función de sujeción, y puede ser madera, corteza o ácido, con mezcla de arena y turba. Florece en verano u otoño. La multiplicación se hace por rebrotes, que se trasplantan a una nueva maceta.
- RIEGO. Depositar agua no calcárea en el cáliz que forman las hojas, cambiándola cada dos semanas.
- NUTRICIÓN Y SUPLEMENTOS. Como poseen unas escamas que retienen agua y nutrientes no necesita abono.

| Luz abundante indirecta | Riego medio | más de 15 °C |

CACTÁCEAS, CACTUS

La familia de los cactus es originaria, con carácter exclusivo, del continente americano, en particular de Chile y México, que cuentan con numerosísimas variedades, con la única excepción de *rhipsalis baccifera,* que se extiende por todos los trópicos. Se trata de plantas sumamente antiguas, pues se considera que no han evolucionado durante los últimos 50 millones de años, desde que América se separó de los demás continentes.

Deben su nombre al vocablo griego *kactos,* que designaba en la antigüedad a un cardo espinoso, y que fue adoptado a mediados del siglo XVIII por Linneo con el nombre genérico de cactus. No obstante, en la actualidad parece descartado por *Mammillaria.* Estas plantas se caracterizan por su gran resistencia, pudiendo adaptarse a zonas costeras, selvas tropicales (cactus epifitos), desiertos y zonas áridas o montañas de altitudes de hasta 4.500 m, como los Andes. Su capacidad de supervivencia se debe a que perdieron las hojas, sustituyéndolas por espinas, que además de proteger condensan el agua, así como también pueden almacenar agua en su interior y clorofila en sus tallos, donde tiene lugar la fotosíntesis. Otra peculiaridad importante que poseen es su metabolismo llamado CAM, que consiste en abrir los estomas de noche, de modo que pierden menos agua, toman el CO_2 y hacen la fotosíntesis durante el día. En cuanto a las características físicas de los cactus, cabe mencionar, como hemos dicho, que no poseen hojas sino espinas (excepto los géneros *Pereskia y Pereskiopsis);* sus flores, en ocasiones nocturnas debido a la polinización por murciélagos o polillas, son hermafroditas o unisexuales, normalmente actinomorfas, con múltiples pétalos en espiral y muchos estambres, de ovario ínfero y con frutos carnosos e indehiscentes, es decir, el pericarpio no se abre naturalmente para que salga la semilla. Lo más interesante es la ingente cantidad de usos que puede darse a los cactus; desde el ornamental y decorativo, incluyendo su empleo en setos, al alimenticio, tanto humano

Los cactus se caracterizan principalmente por las espinas que los recubren haciendo las funciones de las hojas que habitualmente aparecen en los tallos de las plantas.

como animal. De ellos se obtienen colorantes, principios activos medicinales y psicotrópicos, bebidas alcohólicas, fibras textiles y madera, siendo utilizados también, como abono, manufacturas de peines, anzuelos de pesca, amuletos y, antiguamente, hasta como arma para el sacrificio humano.

La manipulación de este tipo de plantas se ha de hacer con precaución, ya que sus espinas pueden causar desde molestias severas hasta infecciones. Desde envolverse la mano con papel de periódico para coger un simple higo de una chumbera, hasta ponerse guantes de máxima protección al manejar otro tipo de cactus con espinas más duras, largas y peligrosas. Estas plantas pueden sufrir plagas de hongos, cochinilla y cochinilla algodonosa, así como invasiones de gusanos, caracoles y arañas rojas. Para prevenir estas enfermedades e infeccciones pueden emplearse insecticidas y productos específicos que se utilizarán, preferentemente en verano, mediante dos pulverizaciones a intervalos de 15 días.

ASTROPHYTUM MYRIOSTIGMA

MITRA DE OBISPO

De origen mexicano, posee tallo globular de 10 a 25 cm de diámetro que se transforma en columnar en algunos casos, cuando el ejemplar es adulto. Es de tono verde pero abundantemente cubierto por esca-

Las hermosas flores del *astrophytum* destacan por su belleza y colorido.

Todas las variedades tienen cinco costillas o aristas (como la de la foto), pero la *quadricostatum* posee únicamente cuatro.

mas blanquecinas, de modo que parece grisáceo, salvo la variedad *nudum* cuyo tallo no las posee. Las costillas son habitualmente cinco, agudas y prominentes, sin espinas y cubiertas de pelos de tonalidad parda. La floración es espectacular y generosa, con flores grandes y amarillas que, lamentablemente, sólo duran una semana.

NECESIDADES

- LUZ. Es ideal que reciban luz, por ello pueden estar bajo el sol al aire libre o en lugares bien luminosos de interior, como cristaleras y ventanas. No obstante, tampoco les va mal una ligera sombra.
- TEMPERATURA. La mitra de obispo es resistente y puede soportar el frío en invierno, con termómetros marcando de 0 a 5 °C, así como las temperaturas exteriores de la época estival.
- HUMEDAD. Tienden a sufrir podredumbre en la raíz, de modo que no debe haber mucha humedad en el ambiente y debe mantenerse seca en invierno.

CUIDADOS

- PLANTACIÓN, TRASPLANTE Y PODA. Un compost poroso es perfecto, para

ello se utiliza un compost estándar que apenas sea rico en material orgánico. Por lo que se refiere a la multiplicación, se puede hacer de dos formas: una es cortar la parte superior del ejemplar adulto e implantar los vástagos que salgan en el tallo; la otra es por semillas que germinan con rapidez siempre y cuando no se riegue en exceso.

- RIEGO. Para evitar que las raíces se pudran no hay que regar mucho, una vez por semana en verano y cada ocho o diez días en invierno en ambiente con calefacción, incluso una vez al mes si el ambiente no es muy seco.
- NUTRICIÓN Y SUPLEMENTOS. Añadir un 25% de arena gruesa al sustrato para que aumente su porosidad. Pueden emplearse abonos líquidos una vez al mes en primavera y verano.

| Pleno sol o bien iluminado | Riego escaso | más de 0 °C |

CEPHALOCEREUS SENILIS

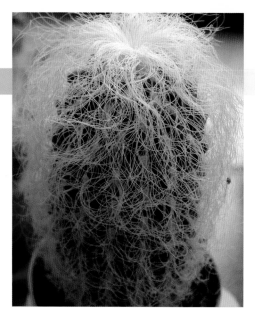

CABEZA DE VIEJO

De los estados mexicanos de Guanajuato e Hidalgo proviene esta especie tan típica y comercializada, cuyo nombre deriva del recubrimiento de la planta de pelos blancos como los de los ancianos. Es una planta columnar caracterizada por su longevidad, puede llegar hasta los 200 años. No hay ramificación salvo en algunos casos a nivel basal, mientras que las costillas son de poca prominencia y varían en número según la edad: de doce a dieciocho en ejemplares jóvenes y de veinticinco a más de treinta en plantas adultas. En las grandes y redondas areolas se desarrollan las espinas y pelos, las primeras delgadas y amarillas o grises, de 2 a 5 cm, los segundos blancos y con longitud de 6 a 12 cm. Por lo que respecta a la floración, sólo producen flores a partir de los 6 m de altura, son nocturnas, de tonalidad rosada, con pétalos blancos y nervio central rojo. Aunque crece en el exterior, es fácil de cultivar en interior.

NECESIDADES
- LUZ. Precisan lugares soleados.
- TEMPERATURA. Los ejemplares adultos pueden aguantar frío de hasta 0 °C, mientras que los jóvenes requieren una mínima de 8 °C. El intervalo ideal se sitúa entre 10 y 15 °C.
- HUMEDAD. La raíz es extremadamente sensible a la humedad, de modo que hay que controlarla, para lo que puede sustituirse por gravilla la capa superior del sustrato y, en invierno, mantener la planta seca y fresca.

Los pelos de la parte inferior del tallo van cayendo conforme crece la planta.

CUIDADOS
- PLANTACIÓN, TRASPLANTE Y PODA. Sólo hace falta trasplantar cada dos años, en la estación primaveral. En algunos países europeos la reproducción se realiza por semillas o mediante injerto.
- RIEGO. A diferencia de otros cactus apenas necesita agua, por lo que conviene evitar el exceso sobre todo en invierno y regar someramente, para evitar además la pudrición de la base. En cualquier caso, no hay que mojar los pelos.
- NUTRICIÓN Y SUPLEMENTOS. Existe un abono líquido especial para cactáceas que es bueno añadir una vez al mes durante la primavera y el verano.

| Pleno sol | Riego escaso | 8-15 °C |

CHAMAECEREUS SILVESTRII

CACTUS CACAHUETE

Este cactus enano procede del norte de Argentina, en especial de las zonas de Salta y Tucumán, y ofrece forma de mata compacta de una anchura entre 30 y 50 cm. Los tallos horizontales tienen una longitud de unos 15 cm y miden de 1,5 a 2,5 de diámetro. El color que presenta la planta es verde claro, aunque existe una variedad injertada, muy común, que es de tono amarillo. Las costillas, de seis a diez, tienen forma de tubérculo poco prominente. A diferencia de otros cactus la floración es diurna, aparece en verano en forma de embudo, de color rojo anaranjado y cubierta de vellosidad.

La floración ocurre durante la estación cálida, y con los cuidados adecuados puede mantenerse durante varios meses.

NECESIDADES

- LUZ. No hace falta mucha iluminación, puede estar en semisombra o sombra ligera, por ejemplo en pasillos o habitaciones en las que no entre mucha luz. El exceso de sol provoca enrojecimiento y puede secar la planta, mientras que el exceso de sombra alarga el cactus y empobrece tallos, espinas y flores.
- TEMPERATURA. El cactus cacahuete requiere frío, en especial en invierno, para poder florecer posteriormente. De hecho, puede soportar varios grados bajo cero, existiendo constancia de haber aguantado hasta -20 °C
- HUMEDAD. El ambiente ha de estar seco, sobre todo en época invernal, pero no en exceso porque ello provoca el ataque de arañas rojas.

CUIDADOS

- PLANTACIÓN, TRASPLANTE Y PODA. Si se cubre la capa superior del sustrato con guijarros blancos destacará el color de los tallos. Se trasplanta sólo cada dos años a una maceta más ancha, pero con cuidado de no mover mucho la planta porque podrían quebrarse los tallos. Se multiplica rápidamente en primavera por semillas, que habrá que mantener a 21 °C, o separando los brotes laterales jóvenes.
- RIEGO. Mientras la planta esté creciendo, regar cada semana o diez días,

Es muy empleado como planta ornamental ya sea en rocallas o macetas.

mientras que en el invierno puede espaciarse a cada dos semanas o veinte días.

- NUTRICIÓN Y SUPLEMENTOS. De primavera a verano se añade un abono líquido para cactus mensualmente.

Semisombra	Riego escaso	0-10 °C

DOLICHOTHELE LONGIMAMMA

CACTUS DE HIDALGO

Originario de Texas, en Estados Unidos, y de Querétaro e Hidalgo, en México, este cactus esférico, verde y con diámetro de hasta 12 cm, aparece solo o en grupos. Su nombre viene del latín y significa pezón largo, por la forma de sus tallos. En la época de floración muestra brillantes y abundantes flores amarillas de unos 6 cm de diámetro, con multitud de pétalos y unos estambres diminutos en su centro.

Es conocido también por su otro nombre latino: *mammillaria longimamma*.

NECESIDADES

- LUZ. Necesita semisombra o sombra. La exposición directa al sol evita su desarrollo y puede quemarlo.
- TEMPERATURA. Pese a resistir incluso -5 °C, resulta conveniente que su temperatura mínima no llegue a bajar de los 10 °C y puede elevarse hasta los 30 °C.
- HUMEDAD. Conviene ajustarla a la temperatura; así, hará falta más hume-

dad en un clima caluroso y más sequedad en la estación más fría del año, época en la que la planta descansa.

CUIDADOS

- PLANTACIÓN, TRASPLANTE Y PODA. Posee una enorme raíz, por lo que necesita macetas profundas. Se propaga

En la época de floración muestra brillantes y abundantes flores amarillas.

vera y verano y suspenderse en invierno.

- NUTRICIÓN Y SUPLEMENTOS. Fertilizar cada dos semanas con un abono rico en potasio en la parte final del invierno, cuando la planta está descansando.

por semillas o tubérculos, que se desprenden de la planta, se dejan secar un par de días y se plantan individualmente.

- RIEGO. A semejanza de otras cactáceas, el riego debe ser regular en prima-

Sombra o semisombra	Riego regular nulo en invierno	10 a 30 °C

ECHINOCACTUS GRUSONII

CACTUS ERIZO

También conocido vulgarmente como cojín o asiento de suegra, esta popular especie está tan explotada que se encuentra en grave peligro de extinción en su hábitat natural, que se sitúa en México central, de San Luis de Potosí a Hidalgo. Otras especies de *echinocactus* son la *ingens* y la *texensis*.

La floración es amarilla y de corta vida, ya que sólo dura unos tres días y resulta muy difícil conseguirla. Se da únicamente en ejemplares adultos y que vivan a pleno sol.

Se trata de un cactus esférico de hasta 80 cm de diámetro, con unas veinte a treinta costillas laterales, cubiertas de amarillas y afiladas espinas. Esta planta puede alcanzar el metro de altura. Las flores aparecen en verano cuando es silvestre, ya que en interior casi nunca florecen, y en cualquier caso sólo en plantas adultas. Dichas flores, en forma de embudo, de 4 a 6 cm, única-

El erizo es resistente y por ello fácil de cultivar en casa. Se pueden hacer hermosos adornos formando grupos con otros erizos de distintos tamaños y diferentes variedades de cactus.

mente se abren cuando están a pleno sol.

El erizo es de crecimiento lento pero firme, llegando a edades tan longevas como los cien años. El cactus erizo es una planta que se propaga fácilmente mediante semillas, que germinan al cabo de entre 5 y 7 días, alcanzando 1 cm de diámetro después de uno o dos años.

NECESIDADES

- LUZ. Necesita sol pero sin impacto directo, que quemaría la planta; lo ideal es una ventana soleada y además algo de sombra en las horas de más luz.
- TEMPERATURA. Aunque pueden soportar hasta -4 °C, la mínima aconsejable es de 5 °C, sobre todo en el período de descanso invernal. En verano se pueden sacar al exterior.
- HUMEDAD. Es conveniente mantener una humedad ambiental normal, pues la sequedad aplanaría las costillas.

CUIDADOS

- PLANTACIÓN, TRASPLANTE Y PODA. El cactus se planta sobre un compost de

arena gruesa estándar para cactáceas, que puede encontrarse fácilmente en tiendas especializadas en jardinería. La superficie puede sustituirse por una capa de grava para que el sustrato no se pegue. No suele necesitar trasplante porque crece lentamente, en todo caso sería bianual o bien a un tiesto mayor si ha aumentado de tamaño, teniendo en todo caso mucho cuidado con las espinas. La multiplicación es por semillas, que germinan en cinco o siete días.

- RIEGO. Semanal pero no muy abundante en verano, en primavera cada quince días y en invierno muy escaso, una vez al mes.
- NUTRICIÓN Y SUPLEMENTOS. En la época cálida añadir abono suave, como el fertilizante líquido para cactáceas, cada veinte días.

| Semisombra | Riego escaso | Más de 5 °C |

ECHINOPSIS

ECHINOPSIS

El género *echinopsis* contiene múltiples especies e híbridos, incluso algunos autores incluyen en el género las *lobivia, trichocereus, pseudolobivia, soehrensi*a y *helianthocereus*. Los cactus *echinopsis*, en general, necesitan pleno sol constante cuando se desarrollan en climas templados, mientras que prefieren algo de sombra en los veranos de regiones más cálidas.

Las flores de la variedad *nigra*, cuyo tallo puede alcanzar los 30 cm, son más gruesas que las de otras *echinopsis*.

Se multiplican por esquejes o semillas, y las dos variedades más importantes son:

ECHINOPSIS LONGISPINA. Procede de provincias como Jujuy, Tilcara y Quiaca, al norte de Argentina, caracterizándose por un tallo verde que pasa de forma esférica a cilíndrica, de unos 25 cm de alto y 10 de diámetro. Las costillas, muy divididas, oscilan entre veinticinco y cincuenta, mientras que suelen aparecer unas quince espinas centrales y radiales pero siempre delgadas y flexibles, con longitud máxima de 8 cm y algo curvadas, de color amarillo pardo. Por su parte las flores, con forma de embudo, como es habitual en las cactáceas, son blancas y de unos 10 cm.

ECHINOPSIS SUBDENUDATA. Esta variedad es originaria del Departamento de Santa Cruz en Bolivia, de tallo verde globular que se torna cilíndrico conforme crece la planta. Dicho tallo se presenta solo o lleno de vástagos basales. Las costillas, menos numerosas que en la *longispina*, son lisas en un principio y tuberculadas en las plantas adultas. Las espinas son radiales y cortas, no miden más de 1 cm aunque la central es ligeramente más larga. Son ocho o nueve de color gris y anchas en su base. La floración también es blanca, pero además presenta frutos verde oscuro que pueden ser ovales o esféricos.

NECESIDADES

• LUZ. Aunque le gusta una buena iluminación, en los meses de más calor agradece la semisombra. Por lo que lo idóneo es mantener este cactus en semisombra.

• TEMPERATURA. Resulta sumamente fácil de adaptar a temperaturas que se encuentren entre los 0 y los 28 °C. En el caso de la *subdenudata* requiere que el termómetro esté algo más elevado que la *longispina*, entre 3 y 6 °C.

El *echinopsis* es también llamado cactus limón, por el aspecto que adquiere, tanto en su forma como en su coloración.

• HUMEDAD. Tolera bien los ambientes húmedos, aunque no la humedad y las altas temperaturas porque se corre el riesgo de que aparezcan infecciones por hongos. Se puede vaporizar o usar un humidificador para mantener fresco el ambiente.

CUIDADOS

• PLANTACIÓN, TRASPLANTE Y PODA. La *longispina* se multiplica a través de semillas, que pueden recogerse de la planta o comprarlas en centros especializados donde ya vienen desinfectadas y seleccionadas. La *subdenudata* se propaga por semillas o enraizando los vástagos basales del tallo.

• RIEGO. Lo adecuado es regar moderadamente durante el semestre más cálido, una vez cada diez días, y únicamente una vez cada tres semanas durante la época más fría.

• NUTRICIÓN Y SUPLEMENTOS. Como es habitual con los cactus, se debe usar abono líquido en primavera y verano.

Semisombra	Riego moderado	0-28 °C

EPIPHYLLUM

PLUMA DE SANTA TERESA

Encontramos este cactus orquídea en América Central y del Sur, en países como México, Argentina y Antillas, donde su hábitat natural son los climas tropicales y forestales. A diferencia de otras cactáceas es epifita, de tallo segmentado y chato que recuerda a hojas. Sus flores, que aparecen en primavera, suelen abrirse de noche y son grandes y rojas.

Este cactus realmente tiene un asombroso parecido con algunas orquídeas, de ahí que muchos de los cuidados necesarios sean más propios de éstas que de las cactáceas.

NECESIDADES

- Luz. La pluma de santa teresa precisa estar en lugares sin sol directo, como pasillos o habitaciones interiores.
- Temperatura. La mínima debe ser de 12 °C, en especial en invierno, mientras que la ideal se sitúa en 16 °C.
- Humedad. En tiempo cálido es bueno vaporizar el follaje regularmente.

CUIDADOS

- Plantación, trasplante y poda. No hace falta un compost especial, puede plantarse en cualquier sustrato estándar para cactáceas que contenga turba rubia y mantillo de hojas. Se cambiará de maceta en primavera, cada dos o tres años, y se esqueja cada tres o cinco años para rejuvenecer el ejemplar. Se reproduce por esquejes

Sus delicadas flores también son apreciadas y usadas en adornos florales por su belleza y el agradable perfume que desprenden.

sobre arena y turba en verano.

- Riego. Se efectúa una o dos veces por semana en período de crecimiento y de ocho a diez días en invierno.
- Nutrición y suplementos. De abril a septiembre es conveniente añadir un abono líquido para orquídeas.

| Semisombra | Riego moderado | 12-16 °C |

GYMNOCALYCIUM QUEHLIANUM

Rosa escocesa

Procede de Argentina, en Córdoba y Sierras Centrales de hasta 1.300 m, donde crece de forma solitaria y lenta hasta unos 7 cm. Es de forma globosa, aplastada en la cara superior y de con-

Las espinas que nacen en cada uno de sus pequeños grupos son entre cinco y siete con su característica forma encorvada.

La rosa escocesa presenta la forma de un globo aplastado con bordes de estrella.

torno estrellado, en tonos del violeta al verde grisáceo. En cada areola encontramos espinas grises o amarillas, cortas y encorvadas, que en conjunto recuerdan a una araña.

Su nombre proviene de la palabra griega para cáliz desnudo, ya que los brotes florales no poseen vello ni espinas. Tales flores son blancas con garganta roja y de unos 6 cm. Los frutos son azul grisáceo cuando llegan a la madurez, mientras que las semillas, marrones, son como un pequeño mejillón.

NECESIDADES

- Luz. Requiere luminosidad indirecta o semisombra. Ha de situarse en estancias con mucha claridad, ya que no es una planta de poca luz, pero no ha de haber contacto directo con los rayos solares.
- Temperatura. No soporta temperaturas bajas. Expuesta a una temperatura de 1°C, la planta comienza a perder fuerza y a morir. Ha de mantenerse entre los 15 y los 25 °C.
- Humedad. Es una especie que necesita temperaturas secas, por ello siempre

hay que dejar unos cuantos días el sustrato sin humedad antes de proceder a un nuevo riego.

CUIDADOS

- Plantación, trasplante y poda. La plantación se hace en un sustrato estándar para cactus colocando en la parte superior de éste algunas pequeñas piedras de río muy trituradas que ayudan a la evaporación superficial del sustrato y resaltan el color del cactus.
- Riego. El riego debe ser escaso para evitar la putrefacción a la que es propenso este cactus. Se aplicará pasados unos días desde que el sustrato se seque del anterior riego, nunca antes de diez y nunca más tarde de las tres semanas.
- Nutrición y suplementos. Podemos utilizar una vez al mes abono diluido en los períodos más templados.

| Semisombra | Riego escaso | 15-25 °C |

HATIORA SALICORNIOIDES

Sueño de borracho

Es endémico del sudeste de Brasil, como el estado de Río de Janeiro. Se trata de un cactus epifito que vive sobre las ramas de los árboles y sin espinas, lo que diferencia el género de otras cactáceas. Sus artículos se hinchan hasta desarrollar segmentos basales y las areolas aparecen esparcidas. De los brotes salen, al acercarse el invierno, flores de color entre amarillo y naranja; tras esta floración la planta reposa o hiberna hasta finales de la nueva primavera.

NECESIDADES
- Luz. Sombra parcial, en especial en verano, que no deben recibir sol directo. Lo adecuado es una habitación que sólo reciba luz en algunas horas del día.
- Temperatura. Necesita para su correcto desarrollo un clima templado, aceptando durante la estación fría temperaturas que sean siempre superiores a los 12 ºC.

También es llamado huesos danzantes o cactus botella por sus numerosas y delgadas ramificaciones.

La floración, que no se consigue en todos los ejemplares, va desde el amarillento al anaranjado.

- Humedad. Esta planta requiere bastante humedad ambiental, por lo que debe pulverizarse con frecuencia, evitando hacerlo en la zona de floración o durante las horas centrales del día.

CUIDADOS
- Plantación, trasplante y poda. El suelo ha de estar bien drenado, es perfecto el que contenga arena gruesa y suelta. La multiplicación, en primavera y verano, es por esquejes.
- Riego. Le basta una cantidad media de agua, mediante riego regular cada siete días en verano y cada dos semanas en invierno.
- Nutrición y suplementos. Pequeñas cantidades de fertilizante nitrogenado antes de la primavera ayudan al desarrollo de la planta.

| Semisombra | Riego medio | 15-20 ºC |

MAMMILLARIA SPP.

MAMILARIA

El nombre del género, que es nativo en su mayor parte de México aunque también se encuentra en otros lugares de Centroamérica, sudeste de Estados Unidos, Caribe y norte de Sudamérica, procede del latín *mammilla* o mama. Habitan desde el nivel del mar hasta grandes elevaciones y pueden encontrarse fácilmente. Esta posibilidad, unida a que en general son sencillas de cultivar en interior, las hace únicas para crear una espléndida colección en cualquier casa que posea un espacio adecuado. La floración, en primavera, dura varias semanas y se presenta como flores diurnas de 0,50 a 1 cm de diámetro, en forma de corona en el ápice del tallo.

La variedad *goldii* puede llegar a estar completamente cubierta de flores cuando éstas se abren a finales de la primavera, apareciendo con un aspecto completamente inusual para una cactácea.

NECESIDADES
- LUZ. Estas cactáceas necesitan pleno sol para estar saludables. Son idóneas para colocarlas en grandes ventanales o balcones.
- TEMPERATURA. No son plantas sensibles, pues toleran el frío, siempre que el termómetro no baje de los 5 °C, y gustan del verano, colocadas en lugares soleados, donde además florecerán mejor. El exceso de frío puede pudrir la raíz.
- HUMEDAD. Como tienden a la podredumbre radical cuando el sustrato está muy húmedo, hay que controlar este extremo. Sobre todo se debe mantener el cactus completamente seco en invierno.

CUIDADOS
- PLANTACIÓN, TRASPLANTE Y PODA. Todas las mamilarias requieren sustratos bien drenados y se trasplantan a primeros de la primavera de cada dos o tres años. La reproducción es por siembra en primavera o verano así como por retoños.

Existen unas 300 especies de mamilaria de diversa dimensión, de 2,5 a 30 cm.

- RIEGO. De primavera a otoño se riega cada dos semanas, en cambio en invierno no se debe regar.
- NUTRICIÓN Y SUPLEMENTOS. Un abono líquido para cactáceas es una opción una vez al mes en primavera y verano.

Pleno sol	Riego escaso	Más de 5 °C

NEOPORTERIA SPP.

NEOPORTERIA

Originaria de Chile, Argentina y Perú, la etimología del género evoca a Carlos Porter, un entomólogo y naturalista chileno, pero hubo que añadir el prefijo «neo» porque preexistía un género anterior llamado porteria (denominado por Hooker). Dentro de las neoporteria hay especies de tallo cilíndrico, que miden entre 15 y 20 cm de altura, y otras de forma globulosa que alcanzan unos 25 cm de diámetro. En las areolas, alrededor de las costillas o tubérculos, poseen púas casi siempre blancas y pequeñas.

Las flores, de numerosas tonalidades, son más oscuras por el envés.

Las flores se abren sobre la corona de día durante el verano, ya sean solitarias o en grupos de dos o tres, con colores que van del blanco al amarillo pasando por el rojo y el rosa. El género de las neoporterias comprende unas 670 especies, entre las que destacan las siguientes:

- *Chilensis*. En un primer momento es esférico y luego pasa a columnar, de tallos verde pálido cubiertos por espinas robustas, doradas y de distintas longitudes. La corona posee flores aplanadas de unos 5 cm, estivales, de color naranja, rosado o blanco.

- *Napina*. Cactus esférico y aplanado, con un tallo marrón muy corto, del que surgen espinas negras. La floración aparece en verano con forma aplanada.

- *Nidus*. Cactus en parte esférico y en parte columnar, de tallo verde oscuro con espinas grises flexibles dispuestas circularmente. Las flores son tubulares, de 3 a 5 cm y de tonalidad entre rosa y cereza.

Son cactáceas muy longevas, con una media de 25 a 30 años. Resultan muy decorativas combinadas con *mammillaria, lobivia* y *rebutia*.

• *Subglobosa*. Al igual que N. Nidus, es entre esférico y columnar, con tallo de verde a verde grisáceo que produce enormes areolas con espinas ámbar de gran robustez. La floración es estival, surgiendo de la corona como flores aplanadas rojo carmín de unos 4 cm.

Otras especies son *clavata, horrida, islayensis* y *pausicostata*.

NECESIDADES

• LUZ. Las *neoporteria* necesitan estar a pleno sol, siendo lo ideal para su cul-

tivo un invernadero o bien un alféizar bien soleado y ventilado.

• TEMPERATURA. Estos cactus requieren temperaturas frescas, sobre todo en invierno, de unos 3 a 6 °C, pero hay que mantenerlas a salvo de heladas. Para que crezcan bien hay que mantenerlas a unos 20 °C.

• HUMEDAD. No precisan mucha humedad ambiente, ya que ésta puede afectar negativamente a su desarrollo si penetra en las raíces; hay que dejarlas secas entre riegos.

CUIDADOS

• PLANTACIÓN, TRASPLANTE Y PODA. Pueden plantarse sobre un sustrato comercial estándar para cactáceas. Trasplantar cada dos o tres años en el inicio de la primavera. La propagación se lleva a cabo a finales de la estación primaveral, en semillero, a unos 20 °C.

• RIEGO. Puesto que la raíz se pudre fácilmente, ha de ser moderado en primavera y verano, cada quince días, y nulo en otoño e invierno.

• NUTRICIÓN Y SUPLEMENTOS. Conviene añadir en la época cálida un abono para cactáceas, diluido al 50%, una vez al mes.

| Pleno sol | Riego moderado | 3-20 °C |

OPUNTIA

CHUMBERA

Todas las *opuntia,* cuyo nombre evoca una región de Grecia, la ciudad Opus en Lócrida, son originarias de América, donde viven en estado silvestre desde el norte estadounidense (Utah y Nebraska) hasta la Patagonia en el extremo sur. Ahora bien, los colonizadores europeos las introdujeron en nuestro continente y encontramos ciertas especies en zonas mediterráneas, incluso se han naturalizado en cantidad casi desmesurada en Australia.

Este género agrupa cerca de 250 especies de distintas dimensiones, desde las más pequeñas de 10 cm hasta las arbóreas de 30 m, pasando por las arbustivas. Algunas son las siguientes:

- *Opuntia picus-indica.* Destaca por sus frutos conmestibles: los higos chumbos.
- *Opuntia littoralis* y *opuntia oricila.* Son tan prolíficas que en lugares como San-

La belleza de sus flores, con decenas de estambres y gran cantidad de polen, es también apreciada por las abejas y otros insectos polinizadores que tienen entre sus plantas favoritas a la chumbera. Los ejemplares mini son ideales para terrazas.

ta Cruz, en California, ha tenido que ser controlada su expansión.

- *Opuntia microdasys.* Variedad *albispina,* se distingue por sus gloquidios blancos en vez de amarillos o marrones.
- *Opuntia rústicae,* muy exóticas.

En general están muy ramificadas y poseen una especie de tallo llamado cladiolo con apariencia carnosa del que brotan esas ramas, hojas y flores. Los tallos son verdes con palas o cilíndricos cubiertos de areolas con espinas normales y otras más pequeñas llamadas gloquidios. Dan lugar a floración duradera, de primavera a otoño, siempre y cuando la planta sea cultivada con sol y ventilación, aunque si está en maceta no es tan espectacular como al aire libre.

El cultivo de *opuntia* es sencillo pero hay que vigilar los caracoles, especialmente si está en exterior, y las plagas de cochinilla, a las que son tan propensas. Antiguamente se criaban en ellas estos insectos para obtener, una vez machacadas, el rico color púrpura que fue uno de los más apreciados colorantes.

Asimismo, estos cactus ofrecen un fruto grande y comestible, por ejemplo los brotes jóvenes de algunas *opuntia* se emplean en ensaladas, una vez despojados de su piel espinosa. También se utilizan como seto, para consumo ganadero o como combustible, y su savia, una especie de látex, para obtener goma de pegar, en amalgamas y en impermeabilizantes.

En muchos pueblos de donde son originarias se usan medicinalmente en enfermedades renales y diabetes, quemaduras y como acelerador del parto.

NECESIDADES

- Luz. Tolera tanto el sol especialmente en la madurez como la semisombra para las más jóvenes.
- TEMPERATURA. La mínima ha de situarse en torno a 4 °C, aunque puede resistir menos grados por periodos no muy dilatados.
- HUMEDAD. Hay que cuidar la humedad sobre todo en invierno, pues cuanto más baja sea la temperatura, más seca debe mantenerse la planta.

CUIDADOS

- PLANTACIÓN, TRASPLANTE Y PODA. Aunque tolera la arena de jardín, lo perfecto es un compost estándar de cactáceas al que es bueno añadir un 10 o 15% de arena gruesa. Se multiplica por esqueje o por semillas, siendo esta forma la más frecuente, pero teniendo en cuenta que al ser dura la capa que las recubre hay que tratarlas con agua caliente, vinagre o ácido acético.
- RIEGO. Ha de realizarse de forma generosa de primavera a otoño, con suspensión invernal.
- NUTRICIÓN Y SUPLEMENTOS. Suelen requerir que se añada algo de materia orgánica al suelo durante la estación fría, en época de reposo.

| Pleno sol | Riego moderado | Más de 4 °C |

OPUNTIA MICRODASYS

ALAS DE ÁNGEL

Esta especie de México es de tipo arbustivo, ramificada y erecta, pudiendo alcanzar de 60 cm a 1 m de altura. Las palas, que adultas miden de 12 a 15 cm, son de forma oval. Es de color verde amarillento, y de las areolas, grandes, redondeadas y muy juntas, nacen los gloquidios, de los que a su vez emerge, cuando existe, una espina. En cuanto a las flores, que aparecen en verano, son de tono amarillo y en forma de embudo. La floración da lugar a pequeños frutos rojos.

En lugar de espinas, este cactus posee gloquidios de los que, como máximo, es capaz de emerger una púa.

NECESIDADES
- LUZ. Tolera tanto el sol especialmente en la madurez como la semisombra para las más jóvenes.
- TEMPERATURA. La mínima ha de situarse en torno a 4 °C, aunque puede resistir menos grados por periodos no muy dilatados.

- HUMEDAD. Hay que cuidar la humedad sobre todo en invierno, pues cuanto más baja sea la temperatura, más seca debe mantenerse la planta.

CUIDADOS
- PLANTACIÓN, TRASPLANTE Y PODA. Aunque tolera la arena de jardín, lo perfecto es un compost estándar de cactáceas al que es bueno añadir un 10 o 15% de arena gruesa. Se multiplica por esqueje o por semillas, siendo esta forma la más frecuente, pero teniendo en cuenta que al ser dura la capa que las recubre hay que tratarlas con agua caliente, vinagre o ácido acético.
- RIEGO. Ha de realizarse de forma generosa de primavera a otoño, con suspensión invernal.

Es una de las especies más apreciadas por los coleccionistas, puede situarse a plena luz o en semisombra.

- NUTRICIÓN Y SUPLEMENTOS. Suelen requerir que se añada algo de materia orgánica al suelo durante la estación fría, en época de reposo.

| Sol y Semisombra | Riego abundante en primavera | Más de 5 °C |

REBUTIA SENILIS

CORONA DE FUEGO

De Argentina llega este cactus de forma globular aplastada, de 5 cm, con hijuelos basales y tubérculos en espiral, cubierto con unas quince o veinte finas espinas blancas que miden unos 7 mm.

La floración primaveral es espectacular y, a diferencia de otros cactus, dura más de un mes. Esas flores, basales, son rojas con pericarpio amarillo, miden 2 cm y tienen forma de campana.

NECESIDADES

- LUZ. Lo idóneo es mantener la planta en ligera sombra, en un lugar con luz, a excepción de las primeras horas de la tarde, como por ejemplo una ventana al este.
- TEMPERATURA. No resisten menos de 3 °C. Cuando estén en periodo de floración pueden estar en estancias cálidas como el salón, mientras que puede sacarse al aire libre cuando acabe de florecer.
- HUMEDAD. La humedad requerida es media, aplicando vaporizaciones cuando haga más calor; también para evitar plagas de araña roja.

CUIDADOS

- PLANTACIÓN, TRASPLANTE Y PODA. Un compost comercial para cactáceas es bastante siempre que esté bien drenado. El trasplante será cada dos años en primavera. Se reproduce por semillas en primavera o verano, o bien en época estival por separación de hijuelos.
- RIEGO. Necesita riego medio, de uno a dos veces semanales en primavera y verano, manteniéndolo seco el resto del año.
- NUTRICIÓN Y SUPLEMENTOS. Añadir un abono líquido para cactus desde el comienzo de la estación cálida hasta la llegada del frío.

| Semisombra | Riego medio | Más de 3 °C |

ZYGOCACTUS TRUNCATUS

CACTUS DE NAVIDAD

Nativo de selvas y zonas rocosas brasileñas, son cactus epifitos de tallo colgante y floración roja o rosa en forma de estrella de 3 a 5 cm de diámetro que aparece en el ápice de los segmentos.

Con una longevidad de tres a diez años, es muy adecuado para cultivar en interior, pues se puede tener dentro de casa todo el año y es fácil de tratar.

El cultivo de este maravilloso cactus se ha disparado en la última década, hoy en día los viveros y centros especializados siempre disponen de ejemplares para la venta.

NECESIDADES

- LUZ. Necesitan algo de sombra, por lo que es perfecto tenerlos en ventanas de orientación norte. Durante la primavera hay que dejarlos en oscuridad al menos doce horas diarias, de modo que puedan florecer. En cualquier caso no deben recibir nunca sol directo, por ello si se sacan a exterior hay que colocarlos en sitios sombríos.
- TEMPERATURA. El intervalo adecuado va de 12 a 22 °C.
- HUMEDAD. Este cactus requiere mucha humedad ambiental, al menos del 50%, lo que puede conseguirse vaporizando cada dos o tres días sin mojar las flores.

CUIDADOS

- PLANTACIÓN, TRASPLANTE Y PODA. Por lo que se refiere al sustrato, ha de ser rico y bien drenado, con una mezcla de brezo, turba y mantillo. Como es habitual en esta familia, el cambio de maceta se hace bianualmente en primavera. La planta se multiplica por siembra o esquejes, colocados en un compost arenoso.
- RIEGO. El agua debe ser blanda, es decir, sin cal, como agua de lluvia, destilada o acidulada. Se realiza en primavera y verano cada cinco o siete días y de forma abundante, si bien dejando secar entre riegos; en invierno cada diez días.
- NUTRICIÓN Y SUPLEMENTOS. En primavera y verano se añade una vez al mes un fertilizante líquido especial para cactáceas.

| Sombra | Riego escaso | 12 a 22 °C |

Selenicereus hamatus (cacto de floración nocturna), por Walter Hood
Fritch (1817-1892). Coloreado. (Cortesía de la Biblioteca Botánica,
Museo Británico de Historia Natural.)

CARNÍVORAS

Las plantas llamadas carnívoras han suscitado siempre un gran interés y curiosidad, en especial debido a los mitos que circulan con respecto a ellas. Pese a esto, cada vez con más amplitud y frecuencia se están introduciendo estas especies en nuestros jardines y casas, pues más allá de su leyenda negra son bellas plantas que darán un toque sin duda original a la decoración vegetal del hogar.

Se trata de plantas que, efectivamente, cazan para obtener su sustento, pero la imagen de una enorme planta tragándose a un ser humano sólo aparece en películas de terror, en la realidad únicamente se alimentan de insectos, ya sean saltadores, arañas, hormigas, mosquitos o mariposas. No obstante, también pueden cazar ratones, animalillos acuáticos, ranas, renacuajos, peces, lagartijas o pájaros, de ahí que su nombre pasara de ser plantas insectívoras a plantas carnívoras. Los medios que utilizan las carnívoras para atraer a sus presas son en primera instancia ornamentales, es decir, el perfume o el color. Cuando las víctimas se acercan se encuentran, sin embargo, con trampas mortales, cepos que revisten distintos mecanismos según la especie: trampas sensitivas, sustancias pegajosas, ventosas aspirantes, etc.

La particular característica de esta familia de plantas es que, al igual que los humanos, poseen enzimas en número bastante elevado en relación al tamaño de la planta, con las que digieren y transforman a sus víctimas. Si las carnívoras no logran cazar no mueren de hambre, pues realizarían la fotosíntesis como el resto de las plantas.

En cuanto a la procedencia de esta curiosa familia, en la que encontramos ejemplares subacuáticos, acuáticos o terrestres, está especialmente en pantanos o aguas estancadas con suelos de mineralización pobre, existiendo alrededor de 600 especies que varían en tamaño de 1 cm hasta 3 m o con

Al tomar la decisión de cultivar una
planta carnívora en interiores hay que
tener en cuenta que es muy sensible y
necesitará constantes cuidados. Es
frecuente que su vida media sea inferior
a lo que sería si fuera cultivada en
exteriores.

trampas de hasta 20 cm. Por lo que respecta a la reproducción, tiene lugar mediante
polinización: sus atractivas flores hacen caer en ellas a insectos que una vez impregnados
de polen lo transportan a otras plantas para fecundarlas. Finalmente conviene desmentir
que sean venenosas o peligrosas, aunque no deben tocarse las trampas que las proveen
de insectos, ya que pueden usarse como insecticidas.

DIONAEA MUSCIPULA

VENUS ATRAPAMOSCAS

Proviene de los pantanos de Carolina del
Norte y del Sur (EE. UU.) y es la más conocida entre las carnívoras. Crece al nivel
del suelo como herbácea. De su único rizoma sale la roseta de hojas, cada una doblemente lobulada, que presenta espinas
en los bordes, así como filamentos perpendiculares a los lóbulos que son los que actúan como cepo, ya que al acercarse un
insecto se pliegan y cierran sobre él. El follaje, sin embargo, se atrofia en invierno.
Las flores, siempre blancas, aparecen en
grupos de dos a diez formando racimo.

NECESIDADES
• LUZ. Le conviene la semisombra de los
pasillos para su desarrollo. La máxima
luz del sol que puede recibir es de cuatro a cinco horas, indirecta, o dieciséis
horas con luz artificial.
• TEMPERATURA. Aunque soporta heladas
de -5 °C, no debe bajar de 0 a 10 °C en invierno; tolera muy bien el calor del verano, por lo que puede conservar-
se en interior todo el año.

Sus famosos lóbulos se cierran tras atrapar a
la presa; la planta comienza a segregar
sustancias químicas que descomponen al
insecto para obtener de él su alimento.

- HUMEDAD. No se debe pulverizar la *dionaea* pero sí mantener una humedad relativa del 40 al 70%. Para ello, si se encuentra en un clima muy seco o en una habitación con calefacción ha de colocarse un humidificador no muy cerca de la planta, y si el clima es húmedo lo más conveniente es situar cerca de la maceta un pequeño cubito con bolitas antihumedad.

CUIDADOS

- PLANTACIÓN, TRASPLANTE Y PODA. La *dionaea muscipula* requiere un sustrato ácido y pobre, compuesto de turba rubia bien lavada o esfagno, arena silícea y vermiculita en proporción 60-20-20. Se trasplanta en primavera bianualmente y se multiplica en invernadero por esqueje de hojas, división de la mata o siembra.
- RIEGO. Para mantener el compost siempre húmedo se pone bajo la planta un

Las flores, siempre blancas, aparecen en grupos de dos a diez formando racimo.

plato con agua que se cambia cada tres días y debe alcanzar el 25% de la altura del tiesto, o bien regar por inmersión sin mojar las hojas ni encharcar, también cada tres días; en invierno, sólo una vez por semana, durante una hora. Hay que usar agua sin cal, ya sea destilada o de lluvia.

- NUTRICIÓN Y SUPLEMENTOS. No se fertiliza nunca una carnívora, aunque se le puede dar semanalmente una mosca.

Semisombra	Riego abundante	Más de 0 °C

DROSERA ALICIAE

ROCÍO DEL SOL

La encontramos en Sudáfrica, pues dentro de las droseras es una de las especies subtropicales más populares y de fácil

Las finas semillas de las flores se dispersan por el viento y germinan en zonas húmedas con sustrato orgánico rico.

Los finos tentáculos que rodean la parte delantera de sus hojas están formados por dos tipos de pelos que retienen a los insectos con los que esta planta se alimenta.

- **HUMEDAD.** El intervalo idóneo debe situarse entre el 40 y el 70%, cuidando aspectos como la calefacción y empleando mecanismos alternativos a la vaporización cuando haya que elevar la humedad ambiental.

CUIDADOS

- **PLANTACIÓN, TRASPLANTE Y PODA.** El sustrato más apto está formado por 50% de turba rubia, 30% de perlita y 20% de arena de cuarzo, para drenar bien, incluso la perlita puede sustituirse por más turba rubia pura. En primavera se trasplantará a un tiesto más ancho. Se autopoliniza ella misma, por lo que el único cuidado que necesita es la adecuada dispersión de las semillas por el sustrato.
- **RIEGO.** Es necesario mantener siempre humedecido el compost, pero no hay que mojar las hojas, por lo tanto el riego se hará por el método de la bandeja todo el año, con agua no calcárea, de lluvia o destilada.
- **NUTRICIÓN Y SUPLEMENTOS.** No se tienen que aportar bajo ningún concepto fertilizantes químicos.

cultivo. Sus hojas aparecen cubiertas de pelos glandulares y tentáculos en la cara superior; los primeros abrazan a los insectos para inmovilizarlos, mientras que los segundos producen el flujo viscoso en que quedan atrapados.

Las flores, normalmente de pequeña dimensión, son blancas, rosas o rojas y contienen finas semillas.

NECESIDADES

- **LUZ.** Esta drosera requiere mucha luz para lucir en todo su esplendor, por lo que se deben colocar en ventanales bien iluminados. Así los tentáculos mantendrán sus colores rojos.
- **TEMPERATURA.** No tienen que hibernar, siendo las adecuadas de 20 a 35 °C en verano y de 10 °C en invierno.

| Luz intensa | Riego constante | 10-35 °C |

DROSERA BINATA

DROSERA

Esta planta, originaria del este y sudeste de Australia de Nueva Zelanda,
es una pequeña coqueta con hojas
en forma de corona pegadas al suelo,
que atrapa a sus presas a través de rojos
tentáculos pegajosos que cubren el follaje; luego la hoja se enrolla alrededor del
insecto y éste se digiere.

Según el número de divisiones de las
hojas, que pueden medir hasta 25 cm y se
caen durante el reposo invernal, existen
diversas variedades.

NECESIDADES
- LUZ. Esta planta requiere mucha luz,
  evitando el pleno sol salvo en días de
  otoño e invierno.
- TEMPERATURA. Agradece temperaturas
  cálidas, entre 12 y 27 °C, y en invierno
  debe reposar a salvo de heladas.
- HUMEDAD. Le hace falta una alta humedad relativa, entre el 55 y 95%, siendo indispensable contar con un humidi-

Posee unas bellas
flores blancas, que apenas
duran unos cuantos días abiertas por cada floración.

ficador si en la habitación en la que
vaya a ser colocada existe calefacción.

CUIDADOS
- PLANTACIÓN, TRASPLANTE Y PODA.
  Dado que sus raíces son robustas, lo
  ideal es plantarla en una maceta de
  plástico profunda, de unos 18 cm de
  fondo. Se emplea un sustrato de fango
  y perlita (30%), ácido, pobre en nutrientes y bien drenado.
- RIEGO. No hay que dejar secar la drosera, por lo que conforme pierda humedad
  hay que mantenerla sobre un recipiente
  con agua o, si está colgada, regarla regularmente varias veces a la semana, preferentemente con agua mineral.
- NUTRICIÓN Y SUPLEMENTOS. Dada la
  naturaleza de la planta, no es necesario
  alimentar ni fertilizar.

Detalle de los tentáculos con los que la drosera
atrapa a sus presas.

| Luz abundante indirecta | Riego frecuente | 12-27 °C |

NEPENTHES

PLANTA JARRO

Nativa de todas las regiones entre el Índico y el Pacífico, como Seychelles, Madagascar y Nueva Caledonia, se concentran en particular en Malasia, Sumatra, Borneo, Java, Filipinas y Papúa Nueva Guinea. Entre las casi 80 especies, variedades e híbridos se distinguen las de tierras bajas que requieren calidez y humedad, como la *albomarginata* o la *bicalcarata*, y las de tierras altas o de montaña, que admiten más frescor, como la *edwardsiana* o la *villosa*.

Se caracterizan porque en ejemplares jóvenes y no trepadores forman rosetas, mientras que las trepadoras presentan tallos leñosos de gran longitud. Las hojas son grandes y terminan en un cordón del que nace la trampa jarro de hasta 40 cm de largo y 4 litros de capacidad. Esos jarros, y de ellos el nombre vulgar de la planta, son alargados, de distintas formas y colores, acabados en su parte superior, que segrega un néctar dulce por una tapa inmóvil que evita la excesiva dilución de los fluidos digestivos.

El insecto es atraído por el néctar, y una vez en el jarro, no puede retroceder porque está recubierto de

Llamada planta jarro por la forma de su flor parecida a una pequeña tina. Es en este lugar donde quedan atrapadas sus presas.

pelillos que lo atrapan y arrastran al interior.

NECESIDADES

• LUZ. La iluminación debe ser difuminada, pues no soportan el sol directo pero debe haber luz para que los péndulos no pierdan color, para lo que se deben utilizar filtros solares de PVP o policarbonato o incluso luz artificial blanca durante dieciséis horas.

• TEMPERATURA. El intervalo de 20 a 30 °C es idóneo durante todo el año para las especies de tierras bajas, mientras que las de tierras altas aguantan de 15 a 25 °C.

• HUMEDAD. Como todas las carnívoras *nepenthes* necesita mucha humedad ambiental, por encima del 70% constante, por lo que conviene pulverizar las hojas frecuentemente.

CUIDADOS

• PLANTACIÓN, TRASPLANTE Y PODA. Un buen sustrato debe estar bien aireado y tener un pH cercano a 6, por ejemplo el formado por esfagno y corteza de pino; esfagno, turba, perlita,

El *nepenthes* reduce considerablemente su longevidad cuando es cultivado sólo en interiores; puede vivir de dos a cinco años en una terraza o galería y apenas unos meses si es una habitación completamente cerrada.

piedra pómez, vermiculita, roca volcánica y carbón; o turba rubia, perlita y poliestireno expandido. La maceta siempre debe tener agujeros para el drenaje y se cambiará en primavera cada dos años, preferiblemente a un tiesto de barro hondo. Se propaga por siembra, acodo aéreo o esquejes de hoja.

- RIEGO. Para que la planta esté siempre mojada, hay que vaporizar el compost cada tres o cuatro días, mojar el suelo alrededor de la planta y colocar cerca de ella un cuenco grande con agua. Es vital tener en cuenta que el agua debe estar libre de cal.
- NUTRICIÓN Y SUPLEMENTOS. Aunque no es necesario abonar, puede añadirse un abono líquido para orquídeas cada diez días y una vez al mes en el invierno.

Luz difuminada	Riego abundante	15-30 °C

PINGUICULA

GRASILLA

Su nombre castellano es precisamente el significado del latino, pues *pinguiculus* quiere decir grasilla. Existen cerca de 70 variedades que se encuentran en Siberia, Europa, Norteamérica y Sudamérica, en especial en México.

De hecho, en función de la procedencia se clasifican en dos grandes grupos:

La flor de la grasilla común es simétrica de pequeño tamaño y habitualmente de color morado.

El cuerpo central de la grasilla se extiende en la maceta en horizontal y alcanza poca altura. El tallo del que surge la flor se eleva 10 cm.

- **HUMEDAD.** Necesita bastante humedad, del 50 al 80%, por lo que conviene tenerla permanentemente sobre una bandeja con agua.

CUIDADOS

- **PLANTACIÓN, TRASPLANTE Y PODA.** Se plantan sobre una mezcla de perlita, turba y arena a la que se puede añadir arcilla. Se multiplica por semillas o esquejes de hoja, en la superficie del sustrato, cubiertas con plástico y con mucha luz, teniendo en cuenta que el segundo método es mucho más rápido. Hay que cambiarla anualmente de maceta a principios de primavera. La reproducción es muy variada en sus formas: semillas, propangulos, esquejes o división.
- **RIEGO.** Desde arriba sólo de vez en cuando, ya que el sistema de la bandeja normalmente bastará para mantener la planta húmeda. Además pueden tolerar el agua de grifo, pues no son muy sensibles a la cal.
- **NUTRICIÓN Y SUPLEMENTOS.** A diferencia de muchas otras plantas en las que algo de abono nunca hace daño, con este ejemplar resultaría fatal porque no admite el aporte de sales minerales.

pinguicula

nórdicas, que en invierno producen yemas resistentes al frío, se reproducen en otoño y son de exterior, y pinguicula mejicanas y subtropicales que no pasan períodos de frío, son suculentas y florecen en verano.

Esta especie nace y se desarrolla en zonas pantanosas con sustratos áridos o pobres. Es herbácea, de color verde claro y con forma de roseta de pocos centímetros de diámetro, por lo que recuerda a algunas bromeliáceas. Sus hojas, con forma de lengua y algo aplanadas, segregan una sustancia pegajosa donde quedan adheridos los insectos. A continuación, dichas hojas se curvan de modo que hacen llegar la presa a los órganos que se encargarán de digerirla. Como dato curioso cabe mencionar que las *pinguiculas* se emplean para controlar plagas de parásitos y que son bastante longevas, viven varios meses en interior y de uno a tres años en invernadero.

NECESIDADES

- **LUZ.** Como las carnívoras en general, precisa mucha luz, aunque cuidando los impactos directos del sol, siendo la orientación norte la más adecuada.
- **TEMPERATURA.** Las nórdicas se mantendrán a 20 °C en verano y 5 °C en invierno, las mexicanas a 25 °C y 10 °C respectivamente.

Luz abundante indirecta	Riego escaso	5-25 °C

CORDILINES, DRÁCEAS Y YUCAS

Estos tres géneros se han agrupado en este capítulo dado el gran parecido que tiene su aspecto. Todos ellos tienen una roseta central de la que brotan las hojas; las centrales nacen de una manera casi vertical, mientras que las laterales se van curvando hacia el exterior. También coinciden en la facilidad de sus cuidados y en la extrema fortaleza que las hace ser resistentes para poder sobrevivir a los cuidados de un jardinero inexperto. Realmente todas se encuentran emparentadas, pues pertenecen a la familia de las agaváceas. Los ejemplares de estos géneros son elegantes, sobrios, dan calidez a cualquier rincón del hogar aportando, además, un toque de exotismo y frescor. En definitiva, son muy apreciados por sus bellas hojas, en las que aparecen todas las tonalidades posibles de verdes y rojos. Las dráceas son originarias de África y Asia y existen más de cuarenta especies distintas. Su nombre deriva de la palabra griega *drakania*, que significa dragón. Los cordilines, cuyo nombre proviene de la forma en porra de sus raíces, comprenden más de una docena de especies que se dan en áreas como América del Sur, Nueva Zelanda, Malasia, Polinesia y en los países de clima similar.

Estas dos especies son muy difíciles de diferenciar entre si, únicamente un ojo muy experto puede hacerlo a simple vista. Para saber si se trata de una u otra hay que observarlas en profundidad; los cordilines tienen rizomas trepadores y raíces blancas y nudosas, mientras que las dráceas son de raíces ligeras, superficiales, sus tonos son anaranjados y no presentan rizomas trepadores. Las yucas, con más de medio centenar de especies clasificadas, son generalmente suculentas, con una roseta central de la que nacen hojas lanceoladas, fibrosas y terminadas en punta. Poseen un único tallo central del que brotan las flores en racimo con apertura hacia el suelo. Provienen de América Central y del Norte.

Gran parte de las plantas que nos ocupan en este capítulo tienen su única dificultad en el nivel de humedad ambiental que se le debe proporcionar. El mejor método para paliar un ambiente seco es pulverizar sus hojas con agua que haya perdido el cloro y la cal.

CORDYLINE TERMINALIS

CORDILINE KIWI

La cordoline kiwi es también conocida por nombres como bonsái hawaiano o compacta purpúrea. Es una planta arbustácea de crecimiento vertical, con pocas ramificaciones y desarrollo basal. Sus hojas alcanzan los 60 cm de longitud, son perennes, y tienen un borde rojizo. Hoy en día, los ejemplares puestos a la venta son mayoritariamente híbridos realizados por el hombre para potenciar este color rojo de las hojas que se ha conseguido extender en una franja aún mayor que bordea la hoja. Las flores aparecen únicamente en las plantas de mayor edad, se dan en tallos únicos y son de color crema.

Al descender la humedad comenzará a perder las hojas de la base; en las del resto se podrá apreciar cómo se tornan marrones y aumentará el riesgo de plaga por araña roja. Aun siendo una planta de hojas perennes, éstas se van cayendo con la edad, y cuando las hojas nuevas dejan de aparecer es un anuncio del final vital de la planta.

NECESIDADES

- LUZ. Las variedades más coloridas necesitan luz directa del sol durante algunas horas del día, aunque se deben de evitar las centrales. El resto de ejemplares han de situarse en una zona muy luminosa, pero no cerca de la ventana.

- TEMPERATURA. Resiste sin problema las altas temperaturas. Hay que vigilar que el termómetro no marque menos de 12 °C porque la planta comenzaría a perder las hojas.
- HUMEDAD. Es necesario mantener la humedad alta y constante. Para ello se

Las flores aparecen únicamente en las plantas de mayor edad, se dan en tallos únicos y son de color crema.

pulverizará el bonsái hawaiano con agua sin cal al menos una vez a la semana.

CUIDADOS

- PLANTACIÓN, TRASPLANTE Y PODA. La multiplicación se consigue o bien por acodo aéreo o por esquejes del fragmento del tallo. En este último caso se tomarán al comienzo de la primavera, aprovechando la poda anual de saneamiento.
- RIEGO. Se aplicará el método de sustrato seco-sustrato húmedo. Hay que regar cuando la primera capa del sustrato de la maceta esté seca. Aun así, es recomendable hacerlo al menos una vez

cada diez días en verano y cada dos semanas en invierno.

- NUTRICIÓN Y SUPLEMENTOS. Si la hoja pierde color se añadirán quelatos férricos. El abono resulta más efectivo si es líquido y se añade al agua de riego dos veces al año en la cantidad que el fabricante indique.

Semisombra	Riego escaso	Más de 12 °C

DRACAENA DEREMENSIS

DRÁCENA DEREMENSIS

Su origen se ha encontrado en África tropical; es una planta de iniciación en la jardinería por ser resistente, fuerte y necesitar únicamente atención en la cantidad de riego. Crece en vertical, con varios tallos rectos que pueden alcanzar 140 cm de altura. Es en la parte superior de éstos donde crecen las hojas, todas desde un mismo punto; son lanceoladas, ligeramente curvadas, terminadas en punta y de hasta 50 cm de longitud. Existen diversas variedades y al-

Después de conseguir la multiplicación por esquejes, los nuevos plantones han de situarse en macetas profundas y con suficiente estabilidad, pues esta drácena crece rápidamente en sentido vertical y con una base inestable, por lo que corre el peligro de que la planta pueda caerse.

Las diferentes variedades de la drácena ofrecen una gama muy amplia de bandas centrales de diferentes colores.

gunas de las más conocidas son la *Janet Craig,* completamente verde y con algunas estrías de otro color; la *bausei,* con bandas blancas en el centro; la *warneckii,* donde las bandas blancas se encuentran en los bordes. Las variedades estriadas tienen márgenes coloreados: *white stripe* blancos, *yellow stripe* amarillos y *green stripe* verdes. Por último la *compacta,* que está indicada para pequeños rincones y espacios reducidos.

NECESIDADES

- LUZ. Claridad y luminosidad son dos cualidades imprescindibles que ha de tener el lugar donde se encuentre esta planta. Pero hay que vigilar que el sol no incida sobre ella en las horas centrales del día.
- TEMPERATURA. Se adapta a casi cualquier tipo de clima, pero es importante mantener constante la temperatura y que no sufra cambios bruscos por corrientes de aire. Su desarrollo óptimo se da entre los 18 y los 22 °C.
- HUMEDAD. Es necesario rociar sus hojas con agua sin cal al menos una vez a

la semana; en verano quizá sea necesario cada tres o cuatro días.

CUIDADOS

- PLANTACIÓN, TRASPLANTE Y PODA. La multiplicación se consigue por varios métodos: bien por acodo en la cabeza, en la época estival, advirtiendo antes que el tallo esté desprovisto de sus hojas inferiores. También por esquejes; en este caso se tomarán los más tiernos, pues enraízan con mayor facilidad. Y por último, si la planta dispone de pocos tallos se tomará la parte superior de éstos, junto a dos o tres hojas, se rociarán de polvo para enraizar y se mantendrán en turba ligeramente húmeda durante una semana antes de plantarlos en su maceta definitiva.
- RIEGO. La drácena deremensis es muy sensible al exceso de riego, pero no es una planta que necesite poca agua, por lo que hay que poner atención en suministrarle la estrictamente necesaria, de lo contrario sus hojas se pondrán fláccidas y marrones. Se recomienda administrar dos riegos por semana, sin encharcar, durante el verano y uno a la semana en la estación fría.
- NUTRICIÓN Y SUPLEMENTOS. Durante todo el invierno ha de suministrarse abono para plantas de follaje. La dosis general es cada 15 días, pero han de seguirse las indicaciones del fabricante del producto.

| Luz difusa | Riego medio | 18-22 °C |

DRACAENA DRACO

DRAGO

El drago, tan representativo de las Islas Canarias de donde es originario, ha sido una planta mística y mágica para decenas de civilizaciones. Los romanos consideraban que era un árbol divino y los guanches canarios lo usaban en sus ritos. Toda esta admiración y adoración se producía por la curiosa transformación que sufre su savia en contacto con el aire: se torna rojiza, de color sangre.

El famoso drago de Icod de los Vinos en la isla de Tenerife tiene entre 500 y 600 años, pero el más antiguo conocido desapareció en 1868, con una edad que rondaba los 6.000 años.

Desde el punto de vista botánico nos encontramos con una planta arbórea que tiene un crecimiento tan lento que para elevarse un metro de altura puede tardar una década, lo que le hace muy útil en interiores. Su tronco es único, liso durante su juventud y rugoso según avanza en edad. Termina en una densa copa en forma de paraguas con gruesas hojas coriáceas de color entre verde grisáceo a glauco, de 50 a 60 cm de longitud y unos 3 o 4 cm de anchura. Como planta de interior hay que destacar su forma arbustiva y el interés decorativo que tienen sus flores y frutos. Éstas surgen en racimos terminales, de color blanco, y aquellos son carnosos, entre 1 y 2 cm de diámetro, redondos y anaranjados.

NECESIDADES

- LUZ. Ha de ubicarse en zonas soleadas y con mucha luminosidad. Hay que procurarle más de cuatro horas diarias de luz directa.
- TEMPERATURA. Se adapta bien a todo tipo de climas, exceptuando los extremadamente fríos, pues no soporta las heladas. Es recomendable situarlo en una zona de la casa con una temperatura estable entre los 18 y los 22 °C.
- HUMEDAD. Gusta de ambientes secos, por lo que las temidas calefacciones no la afectan.

CUIDADOS

- PLANTACIÓN, TRASPLANTE Y PODA. Su multiplicación es complicada y se realiza por semillas.
- RIEGO. Ha de ser escaso, una vez cada diez días durante el verano, y dilatarlo hasta una vez cada dos semanas en invierno.
- NUTRICIÓN Y SUPLEMENTOS. Se debe aportar fertilizante líquido con el riego antes del comienzo de la estación cálida.

| Pleno sol | Riego escaso | 18-22 °C |

DRACAENA FRAGANS

ÁRBOL DE LA FELICIDAD

Muy conocido en los países hispanohablantes por el nombre de tronco del Brasil, esta drácea de hojas casi lanceoladas y curvadas al exterior, que nacen de un único tronco o tallo central, es de las plantas más populares entre los recientemente iniciados en la jardinería. Sus flores, sin pedúnculo, están reunidas en agrupaciones densas, son de color amarillo y están fuertemente perfumadas. En la actualidad, pueden encontrarse en las tiendas de jardinería plantas completas y troncos separados. Éstos, en principio, no necesitan más que ser introducidos en un recipiente con agua, para que en poco tiempo comiencen a echar raíces; en este punto pueden plantarse o mantenerse en el mismo cubículo asegurándonos de que nunca le falte agua.

La floración sólo se da una o dos veces como máximo durante la vida de la planta. Esta acción le resta demasiada energía, por eso una vez que las flores comiencen a marchitarse han de ser retiradas de la planta para minimizar el gasto energético que produce su mantenimiento.

NECESIDADES
- LUZ. El tronco de Brasil necesita estar colocado en una zona muy luminosa, de máxima claridad, pero teniendo cuidado para que el sol no caiga sobre él directamente.
- TEMPERATURA. Ha de ser cálida, su crecimiento se produce cuando se consigue mantener entre los 21 y los 24 °C. No resulta conveniente exponerlo a temperaturas inferiores a los 15 °C y a cambios bruscos, ya sean por descenso de la temperatura día-noche o por corrientes de aire.
- HUMEDAD. Necesita una gran humedad a su alrededor; el principal problema se encuentra cuando llega la estación fría y se halla en habitaciones con una potente calefacción. En estos casos hay que pulverizar sus hojas de dos a tres veces por semana.

CUIDADOS
- PLANTACIÓN, TRASPLANTE Y PODA. El trasplante es conveniente realizarlo cada dos o tres años. Debe cambiarse la planta a una maceta mayor, siendo el momento perfecto la llegada de la primavera. El sustrato ha de tener partes iguales de perlita, turba y tierra de jardín, sin olvidar el incluir algunos guijarros o trozos de teja rota en el fondo de la maceta para facilitar el drenaje.

Las variedades de hojas completamente verdes aguantan mejor el contacto directo con el sol; por el contrario, hay que ser sumamente cuidadosos con las variedades de hojas jaspeadas.

zar una vez por semana durante la estación fría y dos veces por semana el resto del año.

- NUTRICIÓN Y SUPLEMENTOS. Desde el comienzo de la primavera y hasta el final de la estación cálida se puede añadir fertilizante líquido en el agua de riego cada tres semanas.

Luz difusa	Riego escaso o moderado	21-24 °C

- RIEGO. Al contrario de lo que pueda parecer por su necesidad de una alta humedad, no requiere de un riego abundante ni copioso. Se debe reali-

DRACAENA GODSEFFIANA

DRÁCENA POLVORIENTA

La drácena polvorienta, originaria del Congo, es una planta rústica que destaca por sus hojas elípticas, que se presentan emparejadas sobre los finos y largos vástagos. Son carnosas, con pintas blancas que, sobre las hojas verdes, le dan ese aspecto polvoriento al que debe su nombre. Posee unas bellas y muy aromáticas flores de hasta 4 cm de diámetro, que hacen la delicia de cualquier rincón del hogar. Pasada la floración aparecen unas bayas anaranjadas. Su crecimiento es

Sus moteadas hojas son de un verde intenso. La pérdida de brillo o la pigmentación marrón son síntomas de exceso de riego y falta de nitrógeno.

Las variedades *florida beauty* y *kelleri* son de mayor tamaño y con el tallo más leñoso. En realidad son híbridos más cercanos a la original congoleña, que, en su hábitat natural, puede aparecer como arbórea con ejemplares de varios metros de altura.

muy rápido, tanto a lo ancho como a lo alto; en los dos sentidos es capaz de alcanzar más de 70 cm de longitud.

NECESIDADES

- LUZ. Resulta indispensable mantenerla en un lugar bien iluminado, un salón o un pasillo grande con ventanas translúcidas, porque necesita maximizar su tiempo de contacto con la claridad sin que incida directamente sobre ella el sol.
- TEMPERATURA. Al igual que otras drácenas, es muy tolerante con la temperatura; puede desarrollarse sin problemas con valores del termómetro entre los 15 y los 30 °C.
- HUMEDAD. No es un problema digno de seguimiento. Únicamente en lugares con una calefacción muy fuerte, puede ayudarse a la planta pulverizando algo de agua sin cal en sus hojas una o dos veces al mes.

CUIDADOS

- PLANTACIÓN, TRASPLANTE Y PODA. Debido a su crecimiento en todas las direcciones, es fundamental controlar a la planta por medio de la poda. Cada in-

vierno, se debe proceder a seleccionar el sentido de crecimiento que se quiere dar a la planta, y, por tanto, retirar desde la base los vástagos que molesten. La multiplicación se realiza de manera sencilla con estos mismos vástagos que se han retirado con la poda; se limpian de hojas, se mantienen en agua con algo de fertilizante hasta que comiencen a crecer sus raíces, lo que harán en una a dos semanas, y finalmente se implantan en una maceta con dos partes de turba y una de tierra de jardín.

- RIEGO. Ha de ser copioso en el verano, una vez por semana y más ligero durante la estación fría cuando será suficiente con una vez cada diez días.
- NUTRICIÓN Y SUPLEMENTOS. Para potenciar el color de las hojas y mejorar el porte de la planta se debe tratar en invierno con abono nitrogenado.

| Luz clara | Riego abundante en verano | 15-30 °C |

DRACAENA REFLEXA

DRÁCENA REFLEXA

Esta planta arbustiva es originaria de Madagascar. A diferencia de sus hermanas drácenas no tiene unas hojas rígidas, en este caso son largas, anchas, con los bordes en distinto tono de verde que la parte central y terminadas en una punta más fina. Todas ellas nacen de rosetas independientes que visten por completo el tallo central, ligeramente ramificado. Éste no es lo suficientemente robusto para aguantar el peso de las rosetas, y a partir del segundo año, por efecto de la gravedad, se va torciendo y las rosetas terminan colgando.

La variedad de la *drácena reflexa,* llamada canción de la India, tiene los bordes amarillos y la parte central verde y nervada.

NECESIDADES

- LUZ. Acepta luz clara y exposición moderada al sol. Hay que evitar que los rayos solares la afecten durante el verano en las horas centrales del día.
- TEMPERATURA. Puede aguantar gran variedad de temperaturas; gusta de las más cálidas, pero soporta sin problema que el termómetro baje de los 8 °C. Es conveniente mantenerla entre los 15 y los 25 °C.
- HUMEDAD. Atendiendo a su lugar de origen podemos adivinar fácilmente que necesita un alto nivel de humedad. Si es necesario se rociarán las hojas con agua sin cal una vez cada diez días.

CUIDADOS

- PLANTACIÓN, TRASPLANTE Y PODA. Debido a la flacidez de sus tallos, las rosetas cuelgan y en ocasiones es conveniente retirarlas para no interferir con otros elementos decorativos. También se pueden colocar pequeñas guías en el interior de la maceta que quedarán disimuladas entre sus frondosas hojas. La multiplicación se realiza de una manera muy sencilla por esquejes tomados, la mayoría de las veces, de las rosetas sobrantes o que empiezan a despegarse cuando la planta no tiene fuerza para mantenerlas a todas. En este caso se toma una de ellas, y tras su implantación en una nueva maceta se verá cómo ambas plantas recuperan fuerza rápidamente.
- RIEGO. Debe ser copioso pero sin encharcar la planta. Ha de suministrarse dos veces por semana en verano y una vez por semana en invierno.

La drácena reflexa es una planta fácil de cuidar y su multiplicación resulta sencilla.

- NUTRICIÓN Y SUPLEMENTOS. Es conveniente aportar algo de abono nitrogenado durante el invierno para mejorar el lustre de sus hojas.

Luz difusa	Riego abundante	8-25 °C

DRACAENA SENDERIANA

BAMBÚ DE LA SUERTE

Es una tradición china regalar un pequeño tallo de *dracaena senderiana* con motivo del inicio de algún tipo de actividad, por ejemplo, la apertura de un negocio, el comienzo de una carrera universitaria, el inicio de unas obras o para celebrar la llegada del nuevo año. Desde hace algún tiempo esta curiosa tradición se ha extendido a todas las demás culturas, y no hay tienda de jardinería, floristería o gran superficie de decoración que no ofrezca a sus clientes, a un precio realmente económico, un tallo de bambú de la suerte, al que se le atribuyen mil y una formas de ayudarnos en nuestros lances. Su cultivo se realiza en Taiwán y China y, aunque lleva ese nombre, no es realmente un bambú, se le llama así por su forma de vara. De porte relativamente pequeño, con una altura entre los 50 y los 150 cm, esta planta se vende normalmente como tallo. Es una vara que puede ser recta, helicoidal o con curiosas y variadas formas, de color verdoso. Las ho-

El tallo se ha de colocar en un jarrón o recipiente ligeramente alargado: se disponen algunas pequeñas piedras en su fondo, con las que se sujeta la planta. Así, al enraizar, toda esta maraña le servirá de sujeción.

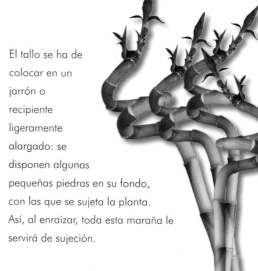

El bambú de la suerte procede originariamente de China, donde existe la tradición de regalarlo al inicio de una actividad o negocio, costumbre que se ha trasladado a Occidente.

jas, que son más pequeñas y sin el típico arco o carencia de la curvatura que tienen otras dráceas, nacen de los nudos y son erectas.

NECESIDADES

- LUZ. La luz resulta vital para su cultivo, pero, al igual que otros ejemplares de la misma familia, no ha de estar expuesta directamente a los rayos solares.
- TEMPERATURA. Es muy resistente, soporta desde los 5 °C de mínima hasta los 35 °C de máxima; si bien su desarrollo y crecimiento se realiza cuando se mantiene constante la temperatura entre los 20 y 25 °C.
- HUMEDAD. A diferencia del tronco del Amazonas el bambú de la suerte no es exigente respecto a la humedad del ambiente.

CUIDADOS

- PLANTACIÓN, TRASPLANTE Y PODA. Con esta planta, del tipo de las que tienen sus tallos parcialmente sumergidos en agua, no hay plantación ni trasplante, aunque sí se debe atender a la poda. Cuando la planta ha crecido y se ha hecho demasiado larga, es conveniente retirar los tallos superiores y sellar la parte final del tallo central con cera.
- RIEGO. Hay que cambiar el agua en el que se encuentra la planta una vez a la semana durante el verano y cada dos semanas en la estación fría.
- NUTRICIÓN Y SUPLEMENTOS. Cada mes se han de añadir al agua unas gotas de fertilizante líquido.

| Luz difusa | Sin riego al estar en agua | 5-35 °C |

YUCCA GLORIOSA

Daga española

Originaria del este de los Estados Unidos, es un arbusto perenne de 2 a 3 m de altura en estado salvaje. De tallo simple o ligeramente ramificado, posee hojas verdes de hasta 60 cm de largo que tienen la particularidad de inclinarse hacia el suelo desde la mitad de su longitud. Las flores, de apenas 6 cm de diámetro, nacen en espiga, son acampanadas y de color blanco cremoso. Se usa tanto en la decoración de jardines rocosos como para adornar interiores. En este caso los ejemplares de maceta apenas alcanzan 1 m de alto.

Las flores de la daga española se consideran símbolo de elegancia y distinción. De color blanco cremoso y con la punta ligeramente rosada cuando el ejemplar es joven. Se están creando híbridos de bellos y llamativos colores.

NECESIDADES

- LUZ. A pleno sol. Ha de estar situada cerca de ventanas, terrazas o lucernarios.
- TEMPERATURA. Es una planta de temperaturas cálidas. No debe encontrarse en zonas con menos de 10 °C de temperatura mínima. Para la máxima resulta mucho más permisiva y tolera sin dificultad ambientes calurosos de más de 30 °C.
- HUMEDAD. Resulta conveniente refrescar sus hojas con agua pulverizada una o dos veces al mes durante el verano.

CUIDADOS

- PLANTACIÓN, TRASPLANTE Y PODA. La multiplicación se consigue por medio de hijuelos tomados en la primavera y colocados en pequeñas macetas con dos partes de turba y una de perlita. Se debe realizar una poda anual antes del invierno; ésta será tanto ornamental, para dar forma a la planta, como sanitaria, para retirar las hojas muertas o enfermas.
- RIEGO. A diferencia de otras plantas de este capítulo, necesita un riego escaso, tres o cuatro veces al mes.
- NUTRICIÓN Y SUPLEMENTOS. Si sus vivos colores comienzan a apagarse, puede suministrarse quelatos según las indicaciones del fabricante.

| Pleno sol | Riego escaso | 10-30 °C |

EUFORBIAS Y CRASAS

En este capítulo se han seleccionado plantas de dos familias, las euforbias y las crasas. Todas ellas tienen en común que alguna de las partes de su anatomía se desarrolla de una manera no habitual para convertirse en zona de reserva de agua y nutrientes. Durante el período de desarrollo y la estación cálida, este área se va llenando, y en la época de descanso de la planta, consume lo que ha almacenado.

Las euforbias constituyen el mayor conjunto de este género, además de ser también uno de los más ricos y variados del mundo vegetal, ya que existen cerca de 5.000 especies distintas. El botánico sueco Karl von Linneo decidió darles este nombre en honor de Euforbio, un médico griego del siglo I a. C. que trabajó al servicio del rey Juba II de Mauritania.

Las diferencias entre variedades son tales que podemos encontrar desde pequeños ejemplares herbáceos anuales hasta grandes arbustos leñosos de varios metros de altura. Alguna de ellas son parecidas a los cactus y sólo el ojo de un experto puede distinguirlos a simple vista; otras, por el contrario, parecen bellas plantas de flor, apreciación equivocada porque las inflorescencias de las euforbias son insignificantes y minúsculas. Lo que vemos son las brácteas u hojas que rodean a las flores, que adoptan bellos colores, como en la famosa flor de pascua. Todas ellas tienen en común el látex, un líquido blanco, denso y ligeramente pegajoso que recorre la planta a través de canales propios. Entre otras cosas, sirve para diferenciar las euforbias cactiformes de los auténticos cactus, ya que éstos no tienen látex. Su composición química varía entre las diferentes especies, siendo en la mayoría muy tóxico para personas y animales porque irrita las mucosas y los ojos, aunque el látex únicamente aparece cuando alguna zona de la planta se rompe.

Las plantas crasas almacenan el agua en diversas partes de su cuerpo, hojas y troncos, la mayor parte de las veces.

El género *euphorbia* procede de zonas semitropicales, y sus flores son diminutas e insignificantes. Las brácteas son las que dan color y tienen apariencia de flor, las crasas desarrollan grandes conjuntos de flores que habitualmente surgen de un tallo simple sin hojas y se elevan varios centímetros de la parte central de la planta.

En conjunto son cerca de 1.300 especies, que se reparten por todas las zonas del planeta, especialmente en el hemisferio norte y África meridional.

Es uno de los géneros del que más fácilmente pueden realizarse híbridos. La escasa necesidad de agua es común a todas ellas, como lo es la dificultad que encuentran para florecer en zonas meridionales. Su gran virtud es la de ser muy resistentes, necesitar pocos nutrientes y poseer un alto índice de adaptación al terreno, de esta forma se convierten en candidatas perfectas para ser cultivadas por personas que deseen iniciarse en la jardinería.

AEONIUM CANARIENSE

EONIO DE LAS CANARIAS

El Eonio canario debe su nombre al vocablo griego *amonios,* que significa eterno. Esta planta, al igual que otras crasas, es considerada una siempreviva. Como su nombre indica es originario de las Islas Canarias, verdadero vergel de plantas suculentas y euforbias.

Este vegetal perenne tiene unas suculentas hojas basales, es decir, que nacen de la base del tallo a modo de roseta,

Las hojas son ovaladas, terminadas en punta y con una pequeña concavidad en su extremo.

Su curiosa forma ha llevado a que también se la conozca popularmente como lechuga de las rocas.

son gruesas, ligeramente aterciopeladas, de un color verde intenso y de hasta 20 cm de diámetro. Las flores se reúnen en una inflorescencia en forma de pequeña rama, sostenida por un tallo de hasta 50 cm.

NECESIDADES

- Luz. Gusta de lugares muy luminosos, la exposición al sol no resulta problemática.
- TEMPERATURA. Esta planta tiene su origen en unas islas de temperatura suave y constante durante todo el año. El eonio requiere una estancia con una temperatura cálida. Puede desarrollarse en ambientes que oscilen entre los 15 y los 25 °C; han de evitarse los cambios bruscos de temperatura.
- HUMEDAD. No resulta problemática en esta planta, que se adapta bien a los ambientes secos. El exceso de humedad ambiental puede originar putrefacción.

CUIDADOS

- MULTIPLICACIÓN, TRASPLANTE Y PODA. Aunque admite la multiplicación por semillas, la manera más habitual de conseguir nuevos ejemplares es me-

diante esquejes. Durante la estación más cálida se toman de la parte más cercana a la roseta, y es conveniente dejar cicatrizar los elementos cortados antes de la implantación. Para crear el sustrato perfecto hay que añadir a partes iguales estiércol de ganado bovino, tierra lavada y arcilla.
- RIEGO. Ha de practicarse la técnica de tierra seca-tierra húmeda. Nunca hay que regar si el sustrato todavía tiene humedad en su parte superior. Pero tampoco hay que dejar que la tierra se quede árida.
- NUTRIENTES. Antes de la época de floración, al principio del verano, se debe añadir fertilizante líquido al riego, únicamente durante dos o tres tomas si la maceta es pequeña y hasta cinco si es de un tamaño mayor a los 30 cm de diámetro.

| Pleno sol | Riego escaso | 15-25 °C |

ALOE SPP.

Aloe

Originario del sur de África y de las montañas tropicales africanas, la sábila o aloe es un género de plantas crasas, suculentas, que cuenta con más de 400 especies. Todas ellas se cultivan por un motivo doble: como plantas ornamentales y por las propiedades naturales de una especie de gelatina que poseen en su interior. Sus hojas son lanceoladas, con aristas espinadas que delimitan sus caras, terminan en punta y forman una roseta de hojas carnosas que nacen de un único tallo. Las flores, tubulares, se presentan en un tallo único que no posee hojas, y se agrupan por racimos. El género aloe tiene la capacidad de conservar el agua de lluvia, lo que le permite sobrevivir por largos períodos de tiempo en condiciones de sequía.

De la dermis y epidermis de las hojas de las variedades *vulgaris*, *socotrina*, *chinensis* y *perryi* se extrae la aloína: líquido viscoso usado como remedio para múltiples afecciones leves y en cosmética.

• *Aloe Vera*. Es uno de los ejemplares más conocidos de esta gran familia. A lo largo de la historia se ha usado tanto para fines cosméticos como medicinales. Se han encontrado grabados egipcios en los que se presentaba el aloe vera como

uno de sus cosméticos preferidos por la clase dirigente. El mismo Aristóteles se lo recomendaba a Alejandro Magno como método antiséptico para sus soldados. También en el Nuevo Continente los indígenas lo han empleado como acondicionador capilar. Se trata de una planta perenne, originaria de África, también conocido como *aloe barbadendis millar*, o de las Barbados. Esta planta suculenta llega a medir 70 cm de altura. Su floración es anual, se produce en el extremo de un tallo sin hojas que se eleva hasta 30 cm por encima de la roseta central; allí las flores se reúnen en racimos y son de color rojo o amarillo. La variedad *aloe barbadensis* se ha subclasificado en otras tres a su vez:

• *Miller o vulgaris*. Recibe el nombre en honor al taxonomista suizo H. Miller, que fue uno de los que más largos estudios realizó sobre esta familia. Es una de las variedades más comercializadas.

- *Humilis*. Es de menor tamaño, hojas pequeñas y alargadas. Se distingue por su color verde azulado y oscuro.
- *Mitriformis*. De hojas más anchas y cortas, en forma de corazón, con tendencia a abrirse al llegar al suelo. El nombre se debe a que recuerda la mitra de un prelado.

Además del aloe vera y sus tres variedades existen otros tipo de aloes que también se comercializan:

- *Aloe socotrina o nobilis*. Tiene el honor de ser la primera especie utilizada por el ser humano, tanto en el Egipto de los faraones como en China. En la actualidad apenas se usa pues la variedad aloe vera se comercializa mejor, aunque continúa siendo muy apreciada por los homeópatas, dada la bondad de los principios activos altamente energéticos que contiene.
- *Aloe ferox*. Esta es la variedad salvaje del latín *ferox*. Los puristas de las técnicas de medicina natural prefieren esta variedad porque contiene tres veces más acemanano que su hermano más comercial; también contiene mucho más hierro y calcio.

El suelo, para tratar de imitar las condiciones naturales en las que crece espontáneamente, debe ser arenoso y con buen drenaje. También se recomienda el uso de maceta de barro, que al ser más porosa evita el exceso de humedad en las raíces. Siempre se ha de esperar diez días antes de empezar a regar una planta de aloe trasplantada.

NECESIDADES

- LUZ. Requiere un lugar soleado, pero en el que durante las horas centrales del día el sol no incida directamente sobre la planta. Las hojas comienzan a ponerse marrones cuando la planta está recibiendo demasiada luz.
- TEMPERATURA. Toda la familia de los aloes necesita temperaturas cálidas. No soportan heladas ni que el termómetro baje de los 6 °C . Se aconseja mantenerlos entre los 12 y 28 °C.
- HUMEDAD. Tolera muy bien los climas secos. Resulta perfecto para estancias cálidas y secas donde otras plantas no pueden vivir.

CUIDADOS

- PLANTACIÓN, TRASPLANTE Y PODA. Su multiplicación ha de realizarse por hijuelos. Cada planta puede dar hasta quince nuevos cada año. Han de trasplantarse cuando miden más de 15 cm. No hay que preocuparse porque du-

rante los primeros días los plantones aparentemente mueran, en realidad es algo parecido a un «shock» traumático, en apenas unos días habrán recuperado su fuerza y enraizarán sin problemas. Algunos botánicos recomiendan cortar las flores al poco tiempo de su apertura para evitar la polinización, y por tanto la reproducción; de esta forma se consigue que no se creen híbridos que hacen perder las propiedades originales del aloe vera.

• RIEGO. Riego escaso. La planta nunca debe quedarse encharcada ya que puede pasar largas temporadas sin agua; ha de regarse cada dos semanas durante todo el año mientras la planta es joven, y cuando se va haciendo adulta se espaciará el riego invernal, dejándolo en una vez cada tres semanas. Si se detecta que las hojas están delgadas, no aumentan de grosor y se arrugan, hay que elevar el número de riegos y la cantidad de agua suministrada en cada uno de ellos.

• NUTRICIÓN Y SUPLEMENTOS. En los ejemplares jóvenes es bueno acompañar los últimos riegos del invierno con fertilizante líquido.

| Luz indirecta | Riego escaso | 12-28 °C |

Después de tres años de vida de la planta, es cuando la gelatina que se encuentra en su interior posee las máximas capacidades nutricionales.

BEAUCARNEA RECURVATA

Cola de caballo

Cola de caballo, pata de elefante, beaucarnea, nolina… Todos son nombres con los que referirse a esta curiosa planta crasa. Se ha encontrado su origen en América Central y el sur de los Estados Unidos. La característica principal de esta especie es el abultamiento de su tronco. Es allí donde la planta establece su lugar de reserva para agua y nutrientes. Este tallo leñoso no es homogéneo, con el paso de los años se va ensanchado de manera exagerada en su base y continúa fino y delgado según se aleja del suelo. Este tronco es único y poco ramificado. Puede alcanzar una altura de hasta 150 cm, que en su hábitat natural es de hasta 10 m. Las hojas, finas, largas, verdosas, y terminadas en punta, nacen de unos botones del final del tallo y forman uno o dos penachos. La floración, que ocurre en panículas, o espigas, se da cuando la planta tiene más de 10 años de vida.

Esta planta ha de colocarse siempre en una maceta ligeramente menor de la que le correspondería. Curiosamente se favorece el desarrollo si sus raíces se encuentran apiñadas.

NECESIDADES

- Luz. Ha de ubicarse en una zona muy soleada, ya que necesita una gran cantidad de luz.
- Temperatura. La temperatura ha de ser cálida, pues no soporta el frío. No ha de bajar de los 8 °C y debe mantenerse entre los 15 y los 28 °C.
- Humedad. Esta planta puede soportar los climas secos o una menor humedad ambiental en determinadas estancias si se pulverizan sus hojas con agua que no contenga cal.

CUIDADOS

- Plantación, trasplante y poda. Se debe crear un sustrato similar al de las cactáceas. Los ejemplares más jóvenes siempre necesitan más cantidad de turba y los adultos mayor proporción de perlita para retener el agua y favorecer el drenaje. Al comprar la planta ha de cambiarse la maceta.
- Riego. Se debe regar una vez cada quince días y, durante el invierno, se puede espaciar este tiempo hasta una vez al mes.

- NUTRICIÓN Y SUPLEMENTOS. Durante la primavera se puede añadir al agua de riego fertilizante líquido durante dos meses.

Pleno sol	Riego escaso	15-28 °C

La cola de caballo es una planta muy longeva. Se han encontrado ejemplares de varios cientos de años, como el que se halla en la ciudad de Elche, en la provincia española de Alicante, que mide más de 8 m de altura y cuya edad se calcula en 300 años.

CRASSULA LYCOPOIDES

CRÁSULA

Esta extraña planta es originaria de Sudáfrica. Allí crece en espacios abiertos, planos y arcillosos. Es una especie sufruticosa, de apenas 20 cm de altura, con muchos tallos que crecen en todas las direcciones. Estos son erguidos, muy ramificados y están recubiertos de pequeñas hojas ovales, acuminadas y dispuestas unas junto a otras. Las flores se dan en la parte superior de la planta, junto a las hojas de los tallos terminales; son moradas y minúsculas.

Las pequeñas hojas que recubren el tallo se encuentran tan cerca unas de otras que dan la sensación de piel de serpiente, ya que parecen escamas.

NECESIDADES
- LUZ. Durante la estación más cálida necesita estar colocada a

pleno sol. En el invierno ha de situarse en semisombra.

- TEMPERATURA. Ha de ser estable, no debe variar bruscamente. Se puede desarrollar de manera satisfactoria con temperaturas que vayan desde los 15 a los 25 °C.
- HUMEDAD. Esta planta gusta de ambientes secos. Resulta más difícil cultivarla en climas húmedos (expuesta en terrazas y zonas abiertas) o en zonas de mar.

CUIDADOS

- PLANTACIÓN, TRASPLANTE Y PODA. Para elaborar el sustrato donde ha de plantarse se usará tierra de jardín, turba con restos orgánicos, arena lavada y tierra arcillosa, todo ello en partes iguales. La multiplicación se realiza por divi-

sión de sus tallos, que han de implantarse en pequeños cubículos con tierra de crecimiento después de haberlos rociado con polvo de enraizar.

- RIEGO. Copioso y cada cuatro días durante el verano, en invierno ha de ser menos abundante y puede espaciarse hasta una vez por semana.
- NUTRICIÓN Y SUPLEMENTOS. Antes de la primavera, se puede añadir abono para cactáceas con el riego, en la medida en que el fabricante indique.

| Pleno sol y Semisombra | Riego abundante en verano | 15-25 °C |

ECHEVERIA ELEGANS

ECHEVERIA

Esta planta suculenta originaria de México, llamada echeveria o rosa de alabastro, forma parte de la familia de las crasas y recibió su nombre del famoso botánico mexicano Echeverría. Su género comprende más de 150 especies. Es una planta herbácea con hojas carnosas, redondeadas, que se encuentran dispuestas a modo de roseta. Posee un tallo floral que se inserta lateralmente al centro de la roseta. Las flores son blancas, amarillas o rojas y de pequeño tamaño.

NECESIDADES

- LUZ. Semisombra. Aunque gusta de re-

El característico color verde azulado es producto de la capa de cera que la protege del sol.

cibir durante varias horas al día los rayos solares, hay que protegerla después de la floración y durante su período de descanso.

Las flores
aparecen al final
de la temporada, justo antes de que las hojas
más antiguas se caigan, dejando desnudos
algunos tallos.

- TEMPERATURA. No soporta el frío. Ha de estar situado fuera de corrientes de viento y cambios bruscos de temperatura. El ambiente ideal ha de estar entre 12 y 24 °C.
- HUMEDAD. Prefiere climas secos, pero también se desarrolla correctamente en zonas húmedas.

CUIDADOS

- PLANTACIÓN, TRASPLANTE Y PODA. Se reproduce por esqueje foliar y, de manera más sencilla, por división de uno de sus tallos. Para hacerlo se toma uno maduro, que se encuentre cercano a la base y del que ya hayan caído las hojas. La base para su implantación se hará con tierra de jardín, paja, arena lavada y tierra arcillosa a partes iguales.
- RIEGO. Moderado durante el verano, una vez cada diez días, y prácticamente nulo durante el invierno, apenas una vez al mes. Siempre hay que dejar que el compost se seque.
- NUTRICIÓN Y SUPLEMENTOS. Antes de finalizar su período de descanso invernal se añadirá al agua de riego durante dos meses fertilizante líquido.

| Semisombra | Riego escaso | 12-24 °C |

EUPHORBIA GRANDICORNIS

CUERNO DE VACA

Arbusto de la familia de las euforbias, que posee una curiosa forma de

Las flores amarillas nacen como pequeños
brotes en las aristas de los tallos. Sus
estambres, al ser vistos con distancia, se
asemejan a un penacho de plumas o a las
cerdas de un pincel.

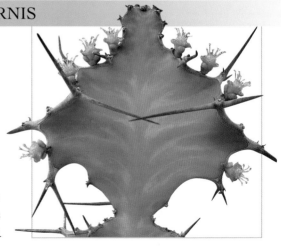

Las afiladas espinas que sobresalen de sus aristas pueden llegar a medir más de 5 cm.

gran similitud a los cuernos de las vacas. Originario de Sudáfrica, alcanza los 2 m de altura. Sus característicos tallos son retorcidos y están formados por segmentos que son separados por una especie de faja. Cada uno de ellos posee tres aristas que sobresalen del conjunto; cada una de ellas es ondulada y con unas afiladas espinas que miden entre 2 y 5 cm de longitud. Sus flores, muy pequeñas y en tonos amarillos, aparecen también en las aristas.

Los frutos son la parte más decorativa de la planta. De lento crecimiento, resulta muy recomendable su cultivo como planta de interior.

NECESIDADES

- LUZ. En semisombra, la luz directa es conveniente en las épocas más frías.
- TEMPERATURA. Resiste las bajas temperaturas, pero es conveniente que no bajen de los 5 °C; con temperaturas inferiores a -2 °C la planta se helaría y resultaría irrecuperable.
- HUMEDAD. Muy acostumbrada a los ambientes secos y semidesérticos, resulta perfecta para ubicar en habitaciones en las que la calefacción u otros elementos hacen imposible la supervivencia de plantas con una alta necesidad de humedad en el ambiente.

CUIDADOS

- PLANTACIÓN, TRASPLANTE Y PODA. La multiplicación se realiza por esquejes o semillas. Como las euforbias no son her-

mafroditas, para obtener semillas hay que tener varios ejemplares de ellas. Si sólo se dispone de un ejemplar, la separación se hará por esquejes. Se seleccionan los del extremo de un tallo grande y se cortan a la altura de un estrechamiento. Siempre hay que coagular el látex con un algodón húmedo que se pasa sobre la parte cortada dejando ésta al aire hasta que se seque. Más tarde se ponen a arraigar en una maceta llena de una mezcla de turba y arena.

- RIEGO. Riego ligero durante el crecimiento, una vez cada diez días, que se suspenderá en el invierno, que es la época de descanso.
- NUTRICIÓN Y SUPLEMENTOS. En invierno la planta no debe crecer porque se desarrollaría de forma desgarbada y deforme, para evitarlo mantenerla en sitio caliente pero por debajo de 10°C.

| Semisombra | Riego escaso | Más de 5 °C |

EUPHORBIA HELIOSCOPIA

LECHE DE LOCA

Conocida por el mundo como leche-ruela, lechetrezna girasol, pichoga o tornagallos, la *euforbia helioscopia* es una planta herbácea de carácter anual que tiene su origen en las praderas europeas. Aunque también aparece en zonas de América del Norte y el Magreb.

La leche de loca es una planta monoica, de hasta 50 cm de altura, erecta y que no presenta ramificaciones. Consta de un solo tallo, por el que se distribuyen sus hojas alternativamente. Presentan un aspecto oval, con los bordes serrados. Sus flores aparecen únicamente al comienzo de la primavera, son hermafroditas y, a diferencia de otras euforbias, sí pueden polinizarse a sí mismas. El resultado es un fruto pequeño con una cápsula que se separa fácilmente.

NECESIDADES

- LUZ. Necesita una gran cantidad de luz para que alcance un óptimo desarrollo.

Las flores están rodeadas de dos pequeñas brácteas que nacen del mismo punto del tallo. Cada uno de los grupos de flores tiene unas hojas similares.

- TEMPERATURA. Su cultivo en maceta hace que sea algo más exigente con las temperaturas: no puede soportarlas cuando bajan de los 5 °C y es conveniente que la habitación en la que se encuentra no supere los 25 °C.
- HUMEDAD. Ha de estar en un lugar ligeramente seco. Proviene de praderas y está acostumbrada a vivir con una baja humedad ambiental. Puede vivir en estancias con calefacción donde otras plantas con mayor necesidad de humedad ambiental no podrían estar.

En la medicina india, su misma toxicidad hace que se utilice como antilombrices tópico, empleando para ello el aceite de las semillas y la decocción de hojas y tallos.

CUIDADOS

- PLANTACIÓN, TRASPLANTE Y PODA. El trasplante se realiza cada dos años. El sustrato idóneo para esta especie se compone de una parte de paja, turba y tierra de bosque, y dos partes de arena de río.
- RIEGO. Espaciado pero continuo. Durante todo el año puede aplicarse cada semana o diez días.

- NUTRICIÓN Y SUPLEMENTOS. Se aplicará, en la dosis que el fabricante recomiende, abono nitrogenado durante el invierno.

Pleno sol	Riego escaso y continuo	5-25 °C

EUPHORBIA MARGINATA

NIEVE EN LA MONTAÑA

La *euphorbia marginata* comienza a usarse para el cultivo de plantas en maceta después de haber sido muy conocida para los amantes de la jardinería por su uso en ramos ornamentales y composiciones de floristería. Esta planta anual es de pequeñas dimensiones, aunque una vez que se la consigue hacer arraigar puede alcanzar varios palmos de altura.

El nombre común proviene de las motas existentes en sus hojas, donde se conjuga el verde natural de la planta con una cenefa blanca que rodea toda la parte exterior de la hoja, siendo el tamaño de ésta aleatorio, al igual que su forma. Originaria de América del Norte, nace de manera espontánea entre pastos y campos de girasoles. Al igual que la mayoría de las euforbias, las flores son insignificantes y se encuentran en el centro y terminación de cada tallo rodeadas de unas vistosas hojas que otorgan a la planta su valor ornamental.

Hay que tener mucho cuidado a la hora de manipular cualquier zona de la planta, especialmente al tomar los frutos para sacar las semillas. El látex irritante típico de las euforbias también está presente en esta especie.

NECESIDADES

- LUZ. Ha de situarse en una zona bien iluminada, pero en la que existan horas del día sin que la luz solar incida directamente sobre ella, preferiblemente las centrales.
- TEMPERATURA. Gusta de temperaturas templadas y no soporta las hela-

das. Ha de mantenerse entre los 8 y los 24 °C.

- HUMEDAD. El ambiente ha de ser ligeramente seco, no es conveniente cultivarla en zonas marinas y con alta humedad, pues la planta se fatiga y tiende a sufrir plagas de hongos.

CUIDADOS

- PLANTACIÓN, TRASPLANTE Y PODA. La multiplicación se realiza por semillas que se toman de sus frutos.
- RIEGO. Escaso, pero de manera continuada durante todo el año. Para conseguirlo, ha de aplicarse el riego de manera sistemática una vez cada siete días.
- NUTRICIÓN Y SUPLEMENTOS. Durante la época de floración puede añadirse fertilizante líquido al agua de riego durante un mes.

| Sol y sombra | Riego escaso y continuo | 8-24 °C |

EUPHORBIA MILII

CORONA DE ESPINAS

Este arbusto espinoso es una euforbia procedente de la isla de Madagascar que se desarrolla de manera natural en barrancos y laderas. Puede alcanzar los 150 cm de altura; sus tallos terminan siempre en una roseta de hojas. Éstas son oblongas, más largas que anchas y con forma de espátula, verdes por ambas caras y con una pequeña espina en la zona en la que se insertan en el tallo. Sus inflorescencias, como en la práctica totalidad de las euforbias, son insignificantes, ligeramente pedunculadas y con glándulas florales dentadas. Las brácteas, u hojas que rodean las flores, son las que aportan vistosidad a la planta por los vivos colores que adoptan, naranja, rojo o amarillo. Al igual que las plantas de su género, posee un látex muy irritante llamado deoxingenol. El curioso nombre con el que se conoce popu-

En la foto se observan las flores, en el centro de las brácteas, reunidas en manojos y con pequeños estambres.

larmente a esta planta proviene de la similitud de su tallo con la famosa corona de espinas que le fue colocada a Jesucristo en la cabeza por los soldados del procurador Pilato.

Su bella apariencia no hace imaginar que la ingestión del líquido que brota de su interior produce dolor abdominal, irritación de la boca y garganta e incluso vómitos. Durante el invierno pierde la mayor parte de las hojas.

NECESIDADES

- Luz. Su preferencia es la semisombra; soporta la vida en la sombra, pero no florecerá, y a pleno sol sobrevive sin problemas, pero su desarrollo, desde el punto de vista ornamental, no será muy vistoso.
- Temperatura. No tolera las temperaturas inferiores a 10 °C si tiene las raíces húmedas. Gusta de climas templados y que el termómetro ronde los 18 °C. En lugares con inviernos muy suaves puede colocarse en las terrazas y ventanas.
- Humedad. Adaptada a ambientes secos, el exceso de humedad en el ambiente y en el sustrato le provoca infecciones de hongos.

CUIDADOS

- Plantación, trasplante y poda. La corona de espinas puede estar en flor durante casi todo el año. En invierno perderá las hojas y las bellas brácteas, y es el momento de realizar el trasplante a una maceta mayor, operación que se efectuará cada dos años, y de proceder a la poda o pequeña limpieza de brotes viejos, hojas estropeadas y aireación de la tierra.

- Riego. Ligero durante la primavera y antes de la estación fría, con una frecuencia semanal, durante el verano han de aumentarse los riegos a una vez cada tres o cuatro días. Durante el invierno suspenderlos, si el clima no es excesivamente seco. A la hora de regar hay que dejar siempre secar el sustrato, por lo tanto, aunque sea el día indicado de riego, si su sustrato permanece húmedo, éste se suspenderá hasta que la capa superior de la tierra de la maceta aparezca seca.
- Nutrición y suplementos. Cuando se posee una corona de espinas hay que tener siempre a mano un fungicida. Son muy frecuentes las infecciones por hongos en la zona donde se une el tallo con la tierra.

| Semisombra | Riego ligero | 10-18 °C |

EUPHORBIA PULCHERRIMA

FLOR DE PASCUA

Símbolo de la Navidad, originaria de México. Allí la descubrió el Dr. Joel R. Poinsett, diplomático estadounidense que, fascinado con la cantidad de estas plantas que poblaban los jardines y florecían en invierno, decidió cultivarla en su California natal. Décadas más tarde su cultivo se extendió rápidamente por todo el mundo convirtiéndose en el icono navideño que hoy conocemos. La poinsetia, nombre por el que también se la conoce en honor al Dr. Poinsett, se encuentra en muy diversas variedades, que distinguimos según sea el color de sus brácteas: rojo, blanco, pastel, asalmonado, naranja o bicolor. Sus flores son insignificantes y se hallan en el centro de las hojas coloreadas.

NECESIDADES
- LUZ. Necesita mucha luz durante su período de floración. La colocación perfecta será cerca de una ventana, pero retirándola de ésta durante la noche para evitar el frío.

- TEMPERATURA. Muy sensible a los cambios de temperatura, se recomienda mantenerla entre los 22 °C de máxima y los 16 °C de mínima.
- HUMEDAD. Es el punto clave de atención en esta planta. El ambiente ha de ser húmedo. La poinsetia no tolera las calefacciones fuertes. Es por la falta de humedad por lo que la mayoría de las flores de pascua no sobreviven más de una o dos semanas. Al florecer en pleno invierno siempre se encuentran ambientes muy secos y temperaturas muy altas dentro de los hogares. Para dar humedad a la planta se ha de colocar sobre un cuenco o plato con agua y una capa de guijarros. No hay que humedecer las hojas directamente.

CUIDADOS
- PLANTACIÓN, TRASPLANTE Y PODA. A la hora de comprar una flor de pascua hay que advertir que entre sus brácteas no haya muchas florecillas maduras y que las hojas no tengan manchas, síntoma de infección por hongos. Al tras-

La poinsetia o flor de pascua se ha convertido en un verdadero símbolo mundial de la época navideña.

El cultivo de esta planta se ha generalizado y es fácil encontrarla a la venta como una de las plantas más económicas, a excepción del período navideño.

Las vistosas hojas de diversos colores, dependiendo del híbrido, que tan ornamentales resultan no son más que las brácteas que rodean las inflorescencias de cada tallo.

portar la planta debe envolverse en celofán para protegerla del frío del exterior. Si después del tiempo de pascua, finalizada la floración, deseamos conservarla se podarán los tallos a no más de 8 cm de la base sellando los cortes con cera. Finalmente se llevará a un lugar más fresco y seco del que se encontraba.

- RIEGO. Dos veces por semana dejando que el sustrato seque entre los riegos. Se realiza por la base colocando la planta en un plato hondo con agua tibia durante diez minutos, quince si la habitación es seca, de esta forma la planta absorberá desde abajo el agua que necesita.

- NUTRICIÓN Y SUPLEMENTOS. Administrar fertilizante líquido cada dos semanas.

| Luz difusa | Riego medio | 16-22 °C |

EUPHORBIA RESINIFERA

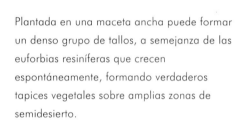

EUFORBIA RESINÍFERA

Esta planta tiene el honor de ser la primera euforbia descubierta. Fue en el siglo I d.C. cuando el rey Juba II de Mauritania la encontró en uno de sus viajes. Su nombre lo recibió del naturalista griego Euforbos, que ya trabajó con el látex de estas plantas para emplearlo en cataplasmas y apósitos medicinales.

La especie es originaria del norte de África, allí ha crecido de manera silvestre durante siglos, aunque en la actualidad el número de ejemplares es considerablemente menor.

En su hábitat natural aparecen en grupos o colonias de decenas de ejemplares, cubriendo áreas de hasta 40 m², su altura puede llegar a alcanzar los 50 cm. Sus tallos están formados por cuatro caras no rectas, delimitadas por aristas y que forman una especie de V. Estos tallos están también ramificados desde su base,

Plantada en una maceta ancha puede formar un denso grupo de tallos, a semejanza de las euforbias resiníferas que crecen espontáneamente, formando verdaderos tapices vegetales sobre amplias zonas de semidesierto.

erectos, de color verde grisáceo. Sus costillas resultan ligeramente dentadas y con la edad van suavizándose. Las espinas se presentan agrupadas en pares, con separación de 5 a 10 mm y con una longitud de entre 4 y 6 mm.

NECESIDADES

• LUZ. Gusta del sol. Ha de ubicarse en zonas de sombra ligera, si hay más de 10 horas de sol diarias, o a pleno sol cuando el número de horas sea menor.

Las inflorescencias que aparecen en la parte superior de cada tallo, poseen un pequeño estambre bífido. Nacen con color rosáceo, del que pasan al rojo anaranjado para madurar en amarillo. Este tipo de euforbias no pueden fecundarse a sí mismas.

- TEMPERATURA. Como proviene de un clima cálido, esta planta no soporta las heladas ni las temperaturas continuadas inferiores a 5 °C.
- HUMEDAD. No resulta problemática en las euforbias. Se adapta bien a zonas secas y no gusta de estancias especialmente húmedas.

CUIDADOS

- PLANTACIÓN, TRASPLANTE Y PODA. Aunque las euforbias pueden multiplicarse por semillas, resulta sumamente difícil conseguirlas de esta planta; habría que tener varios ejemplares para que se polinizaran, pues en esta especie a cada ejemplar le resulta imposible fertilizarse a sí mismo. Por eso la manera más rápida y efectiva para conseguir nuevos plantones son los esquejes. Se cogen aquellos que se encuentran en el ápice de un tallo vigoroso y se cortan a la altura de un estrechamiento o de un punto de inserción, coagulando el corte con un algodón húmedo para que no pierda látex. La herida ha de airearse durante dos o tres días. Una vez que se ha formado el callo, se procede a su implantación en una maceta con sustrato de perlita, turba y arena a partes iguales.
- RIEGO. Se realiza una vez cada cuatro días durante la época de crecimiento, ha de ser copioso, pero sin que las raíces queden encharcadas o con mucha humedad durante días, pues la planta se pudriría. En la estación fría el riego se aplica únicamente cada diez días o cuando el sustrato esté seco.
- NUTRICIÓN Y SUPLEMENTOS. Se puede añadir abono orgánico a la planta durante el período de hibernación.

| Pleno sol | Riego medio | 5-25 °C |

EUPHORBIA SERRATA

DIENTES DE SIERRA

También conocida como tártago de hoja serrada o higuera del infierno, esta planta de carácter anual es nativa de Europa y tiene una gran población en las Islas Canarias. Su hábitat natural son las praderas silvestres y los bordes de los caminos poco transitados. Es una especie herbácea, algo leñosa en su base y de hojas perennes. Éstas se distribuyen de manera alterna alrededor de su

El color verde intenso de sus hojas y flores, junto a la especial disposición de las brácteas, hacen de la dientes de sierra una planta perfecta para decorar hogares en la época primaveral.

Su savia contiene un látex rico en ésteres, que se ha utilizado tradicionalmente en España como catalizador del cuajado de la leche.

único tallo, tienen forma oblonga y lanceolada, ligeramente serrada en los bordes y es a ellas a las que la planta debe su nombre común. Los nectarios carecen de apéndices, su altura no supera los 40 cm y las flores, de color verde, son hermafroditas. El fruto es una pequeña cápsula que se abre para que salga la semilla y los insectos son el vehículo para su polinización.

NECESIDADES

- LUZ. Necesita mucha luz, todas las horas de exposición directa al sol son pocas para esta planta que incluso en una semisombra no se desarrollaría correctamente.
- TEMPERATURA. Gusta de ambientes cálidos, puede colocarse en terrazas y ventanas si las temperaturas no bajan de los 12 °C. Es conveniente mantenerla en zonas en las que el termómetro oscile entre los 16 y los 26 °C.
- HUMEDAD. Es necesario un ambiente seco. Esta planta no es recomendable para ser cultivada en ambientes marinos o con climas muy húmedos.

CUIDADOS

- PLANTACIÓN, TRASPLANTE Y PODA. No hay que esperar a la estación fría para retirar las hojas que se vayan pudriendo, es conveniente hacerlo al menos una vez al mes. La poda es ornamental, para darle la forma deseada; hay que realizarla antes de la primavera.
- RIEGO. Se realizarán con pequeñas cantidades. No hay una norma clara, pues en este caso la dependencia con el clima en la que se esté cultivando es más determinante, si cabe, que en otras plantas. La norma general para climas templados es regar una vez por semana y cada cuatro días durante el verano.
- NUTRICIÓN Y SUPLEMENTOS. Si la poda ha sido excesiva y la planta ha quedado debilitada conviene aplicar un tratamiento fertilizante durante el invierno.

| Pleno sol | Riego escaso | 16-26 °C |

EUPHORBIA TIRUCALLI

EUFORBIO DE GOMA

Muchas personas también pueden conocer a esta planta con otros nombres populares, como dedos de goma, árbol dedo, arbusto de leche, palitroque… todos ellos son referencia a algunas de sus características, principalmente a la curiosa fisonomía que presenta, con esos tallos alargados, cilíndricos y carnosos.

Es originario de la vasta región que va desde el África subtropical hasta Sudáfrica. En esos puntos es un arbusto de una longitud variable entre los 120 y los 250 cm. Sus hojas son minúsculas y efímeras, la mayor parte del año la planta se encuentra desnuda y son sus tallos los que conforman su aspecto habitual. Éstos cobran gran importancia ante la fugacidad de sus hojas, pues es en ellos donde se realiza la fotosíntesis.

NECESIDADES

- Luz. Plena luz. Esta planta necesita el sol para vivir, no podrá ser cultivada en zonas en las que no pueda recibir los rayos solares al menos seis u ocho horas cada día.
- TEMPERATURA. Es una especie de climas templados a cálidos. No tolera el frío, que es su principal enemigo. Ha de tenerse en habitaciones cálidas y soleadas donde el termómetro no baje de los 15 °C y, preferiblemente, que permanezca constante entre los 22 y 25 °C.
- HUMEDAD. El lugar en el que viva el euforbio de goma ha de ser seco. Habi-

taciones cálidas y secas. Es perfecto para colocarlo en zonas de la casa que tengan una buena calefacción.

CUIDADOS

- PLANTACIÓN, TRASPLANTE Y PODA. La multiplicación se consigue por esquejes. Casi todos los tallos de la planta resultan óptimos para, una vez coagulado el látex, implantarlos en una maceta con turba y arena de río.
- RIEGO. Durante la estación cálida se aplicará una vez por semana, en cantidad no muy generosa, y siempre cuan-

El crecimiento de la planta puede ser controlado por la poda. Si se retiran los tallos superiores, la planta crecerá horizontalmente. Se recomienda también colocar los tallos enredando unos con otros para conseguir una trama que dé densidad al conjunto.

Los tallos son muy carnosos y de rápido crecimiento, por ello, y para que la planta no pierda fuerza y los tallos vigor, hay que respetar la estación de descanso. Durante este tiempo la planta permanecerá con el metabolismo a muy baja velocidad.

do el sustrato se haya secado; si al llegar el momento de riego éste permanece húmedo, se suspenderá hasta que aparezca seco. En el invierno será prácticamente inexistente, puede realizarse cada tres semanas.

• NUTRICIÓN Y SUPLEMENTOS. Resulta conveniente añadir fertilizante líquido a los últimos riegos del invierno.

| Pleno sol | Riego escaso | 15-25 °C |

FRITHIA PULCHRA

FRITIA

La fritia es una planta crasa que tiene su origen en el área central de Sudáfrica. Esta pequeña y suculenta planta vive casi enterrada. Únicamente asoman a la superficie unos cuantos tallos. Su color es verde claro, los tallos que salen a la luz lo hacen en forma de rosetas, en cada maceta afloran de dos a tres, y entre ellos brotan las bellas flores de pétalos morados y blancos que cada verano adornan la planta.

En Sudáfrica, la fritia crece casi bajo tierra, asomando las puntas aplanadas de las hojas.

trarse una parte de ella enterrada, la fotosíntesis la realizan los tallos aéreos y necesitan la mayor cantidad de tiempo posible de exposición al sol.

• TEMPERATURA. Tolera los inviernos frescos, aunque no es conveniente que

NECESIDADES

• LUZ. Ha de proporcionarse a la planta tanta luz como sea posible. Al encon-

La fritia ha sido una planta que apenas unos cuantos jardineros cultivaban. Hoy en día, está al alcance de todo el mundo. Sus cuidados son simples, únicamente hay que recordar que su peor enemigo es el exceso de riego.

las temperaturas sean inferiores a 5 °C durante más de dos o tres días. Tampoco deben exceder los 28 °C.

- HUMEDAD. Prefiere las zonas más secas. Durante el invierno ha de estar en una habitación fresca y seca.

CUIDADOS

- PLANTACIÓN, TRASPLANTE Y PODA. Para su multiplicación se toma uno de los tallos aéreos y se separa de la planta; ha de colocarse en otra maceta con turba, arena de río y perlita a partes iguales; en este lugar se semienterrará para que crezca en ambos sentidos.

- RIEGO. Los cuidados son muy sencillos con esta planta, pero el mayor riesgo se encuentra en que no todo el mundo es consciente de la poca cantidad de agua que necesita. Se regará únicamente en la estación cálida una vez cada diez días.

- NUTRICIÓN Y SUPLEMENTOS. Al comenzar la primavera y retomar los riegos, se añadirá fertilizante líquido durante un mes.

Pleno sol	Riego muy escaso	5-28 °C

HOYA CARNOSA

PLANTA DE CERA

Hoya es el nombre de todo un género de plantas también consideradas trepadoras procedentes de India, China, Australia y Polinesia. Son de la familia de las *Apocynaceae*. Son conocidas como plantas de cera

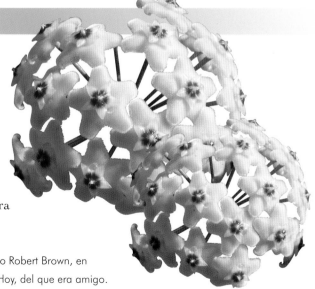

Este género lo describió y nombró el botánico Robert Brown, en honor al también famoso botánico Thomas Hoy, del que era amigo.

Las flores pueden tomar diversas tonalidades entre el blanco y el violeta. También existen en el mercado algunos híbridos con el tamaño y la forma ligeramente cambiados.

por la capa de protección que la planta segrega sobre las flores y las otorga un efecto visual similar al de la cera. En ocasiones se le ha llamado también planta de la porcelana, por este mismo efecto que hace que las flores parezcan pequeños trabajos de cerámica.

Dependiendo del clima en el que se cultiven pueden darse como trepadoras o arbustaceas. Poseen hojas simples, opuestas y de carácter suculento. Las flores se presentan en ramos en umbela que nacen de las axilas y, además de por su curiosa imagen, también son muy apreciadas por el excelente perfume que desprenden, capaz de actuar como ambientador natural en cualquier lugar cerrado.

NECESIDADES

• LUZ. Es una planta que requiere gran cantidad de luz, pero no es conveniente que reciba baños de sol durante las horas centrales del día. Ha de tenerse en una zona de gran claridad, cerca de una ventana cuya orientación permita que la luz entre desde que despuntan los primeros rayos solares hasta pasado el mediodía.

• TEMPERATURA. Habitualmente gusta de climas cálidos, aunque se puede adaptar a temperaturas cercanas a los 10 °C si éstas permanecen constantes y no bajan más. Como nivel ideal podemos indicar el que se mueve entre los 15 y los 25 °C.

• HUMEDAD. Es necesario un clima ligeramente húmedo. Si se encuentra en zonas secas, o durante el invierno dispone de una fuerte calefacción, es conveniente pulverizar la planta con agua hervida y dejada enfriar, al menos una vez cada quince días.

CUIDADOS

- PLANTACIÓN, TRASPLANTE Y PODA. Hay que trasplantarla cada tres años a una maceta no mucho más grande, pues las raíces han de estar ligeramente apretadas para que la planta florezca. Hay que tener cuidado para que la planta no reciba corrientes de aire que harían que los capullos o las flores se cayeran por el brusco cambio de temperatura.
- RIEGO. En el período de floración, y durante toda la estación cálida, se regará una vez cada diez días. El resto del año se seguirá la norma de dejar secar el sustrato. No hay que temer que la planta pueda necesitar más agua porque tiene reservas.
- NUTRICIÓN Y SUPLEMENTOS. Si se detecta que comienza a amarillear hay que añadirle abono nitrogenado.

| Luz abundante indirecta | Riego escaso | 15-25 °C |

JATROPHA PODAGRICA

JATROFA

También llamada tártago, procede de América Central. Es una curiosa planta eufórbica que para determinados botánicos se encuentra en el límite entre éstas y las crasas. Posee un tronco muy abultado por la base, donde almacena las reservas, y que va ensanchándose según la planta se hace adulta. De hojas caducas, la planta alcanza con los años el metro de altura, aun en cultivo en maceta. Las flores, agrupadas en tríos, aparecen durante todo el verano en el ápice de un tallo deshojado, son rojo coral o anaranjado.

NECESIDADES

- LUZ. La luz le resulta indispensable para su correcto desarrollo. Una habitación soleada es su mejor ubicación.

Las flores y los frutos, que contienen sustancias nocivas para animales y niños, surgen de un único tallo que crece erecto y supera en varios palmos la altura de las hojas.

La longevidad de la jatrofa es de las más altas de todas las euforbias, llegan a vivir como media más de quince años.

en bosques, necesita de un sustrato húmedo compuesto por turba, arena de río, mantillo de hojas y grava fina en partes iguales. El trasplante se realizará cada dos años a una maceta más honda para que puedan colocarse allí las gruesas raíces de esta planta. La multiplicación se consigue por medio de semillas que se toman en primavera.

- TEMPERATURA. Para cultivo en interior basta con mantener la temperatura de la estancia en la que se coloque sin cambios bruscos entre los 15 y los 28 °C.

- RIEGO. Durante la época cálida, primavera y verano, ha de regarse una vez a la semana copiosamente. En el otoño se distanciarán los riegos hasta dos veces al mes y durante el invierno es conveniente suspender el riego.

- HUMEDAD. Es una especie que gusta de ambientes secos y frescos.

- NUTRICIÓN Y SUPLEMENTOS. Al comienzo de la primavera los primeros cuatro riegos pueden ir acompañados de fertilizante líquido en las dosis que el fabricante indique.

CUIDADOS
- PLANTACIÓN, TRASPLANTE Y PODA. Al ser una planta que habita normalmente

Luz indirecta	Riego moderado	15-28 °C

KALANCHOE TOMENTOSA

OREJAS DE GATO

Resulta curioso observar la diferencia de formas y tamaños entre las plantas

Las pigmentaciones marrones de las puntas de las hojas son una de las características que diferencia a simple vista esta crasa de algunas cactáceas similares.

La combinación de humedad y el vello que recubre las hojas siempre termina en infección por hongos. Por eso es necesario aplicar únicamente el agua necesaria durante el riego, y hacerlo sin tocar las hojas de la planta.

de una misma especie cultivadas en maceta y sus hermanas crecidas de manera espontánea; la oreja de gato es uno de esos casos. Esta planta crasa, originaria de Madagascar, llega a medir 2 m de altura en su hábitat natural, pero en maceta apenas supera los 50 cm de altura. Sus hojas, cubiertas de una vellosidad blanca, tienen una depresión longitudinal en su zona central, que en el envés se transforma en arista. En la zona apical existe un grueso dentado y unas manchas marrones, que coinciden con la dentadura marginal. Reciben el nombre popular precisamente de la apariencia de sus hojas.

NECESIDADES

- LUZ. Ha de recibir tanta luz como sea posible; de esta exposición depende la capa de vello aterciopelado que la recubre y protege.
- TEMPERATURA. Ha de ser fresca, pero no fría. No debe bajar nunca de los 8 °C, pero tampoco es conveniente que suba de los 22 °C , especialmente en zonas marinas.
- HUMEDAD. Es uno de sus principales enemigos. Ha de situarse en un lugar fresco y seco. La humedad favorece la condensación del agua entre el vello de sus hojas y produce infecciones por hongos y putrefacción.

CUIDADOS

- PLANTACIÓN, TRASPLANTE Y PODA. La multiplicación, aunque puede realizarse por semillas, es preferible obtenerla por división. Las hojas que no han comenzado a marchitarse y que se mantienen firmes se deben separar y ser plantadas sobre un sustrato ligeramente húmedo de turba y paja.
- RIEGO. Ha de ser constante, pero muy escaso. Se aplicará una vez cada diez días, pero en pequeñas cantidades. Cuanto más húmedo sea el ambiente, menor cantidad de agua se aplicará.
- NUTRICIÓN Y SUPLEMENTOS. Los tratamientos que se apliquen a la planta, tanto curativos como fertilizantes, han de realizarse en el sustrato y no directamente sobre sus hojas, pues son extremadamente sensibles a la humedad.

| Pleno sol | Riego escaso | 8-22 °C |

LITHOPS

PLANTA PIEDRA

¿Piedra o planta?, ¿natural o artificial? Estas y otras muchas preguntas son las que surgen a toda persona que admira por primera vez una planta de la familia *Lithops*. Su nombre deriva de las palabras griegas *Lithos*, piedra, y *ops*, parecido, y efectivamente el aspecto que presentan hace que a simple vista sean confundidas con piedras o guijarros. Con más de 40 especies y casi 36 subespecies, estos curiosos vegetales originarios de Botswana y Namibia son plantas crasas de la familia de las aizoáceas. Fueron descritas por primera vez a principios del siglo XIX por John William Burchell, que las descubrió en un viaje que, por motivos de trabajo como encargado de un jardín botánico, realizó a Sudáfrica.

Los *lithops* tienen una altura que no supera los 5 cm y un diámetro que, según las variedades, oscila entre 1 y 4 cm. Crecen como ejemplares aislados o formando grupos. Las flores son de color amarillo o blanco, y recuerdan vagamente a las margaritas. Aparecen a través de la ranura que existen entre las dos hojas

Diez años después de su implantación pueden llegar a medir 8 cm y cubrir una superficie de 20 cm².

que tiene cada *lithops*. El crecimiento de este tipo de plantas es muy lento, pero son muy longevas, hasta veinte años en algunos casos.

NECESIDADES

- LUZ. Es una planta de semisombra, en interiores no debe darle nunca la luz directa del sol, aunque la habitación ha de ser luminosa, pues resulta indispensable para que los *Lithops* florezcan.
- TEMPERATURA. Pueden vivir sin problemas en un amplio margen de temperaturas: desde los 5 a 8 °C de mínima hasta los 35 a 40 °C de máxima.
- HUMEDAD. Son plantas que necesitan un ambiente seco, hay que recordar que surgieron en zonas semidesérticas.

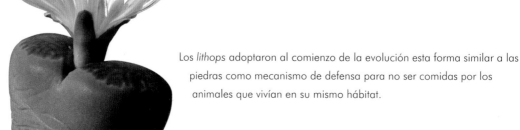

Los *lithops* adoptaron al comienzo de la evolución esta forma similar a las piedras como mecanismo de defensa para no ser comidas por los animales que vivían en su mismo hábitat.

Diez años después de su implantación pueden llegar a medir 8 cm y cubrir una superficie de 20 cm².

CUIDADOS

- PLANTACIÓN, TRASPLANTE Y PODA. La reproducción se puede conseguir por medio de semillas, con un semillero tras tomar los frutos que aparecen después de las flores. Es recomendable esperar a plantar las semillas algunos meses, pues se ha comprobado que alcanzan mayor índice de germinación pasados cinco o seis meses después de la recolección. También con la separación de nuevos brotes, pero este sistema únicamente puede realizarse con ejemplares adultos. La base puede ser de turba y substrato vegetal a partes iguales. A esta mezcla se añade el 50 o 60% de arena gruesa, silícea.
- RIEGO. Resulta la cuestión más delicada para cultivar *Lithops*. Hay que respetar escrupulosamente los períodos de descanso. La planta ha de regarse durante la estación cálida una vez cada diez días, y tras la floración, al comienzo del invierno, se dejará de regar. Es fácil detectar si tenemos que romper la norma general de riego; si el *Lithops* aparece arrugado es que necesita agua, si durante el período activo encontramos que se ha hinchado demasiado hay que dar un descanso para que no reviente, literalmente, por acumulación de líquido.
- NUTRICIÓN Y SUPLEMENTOS. En verano añadir una vez al mes un abono líquido para cactáceas, diluido a la mitad o a la cuarta parte de lo marcado por el fabricante.

| Semisombra | Riego escaso | 5-40 °C |

FICUS

Los ficus, cuyo nombre proviene del higo que se produce en sus inflorescencias, pertenecen a la familia de las moráceas y pueden contarse entre 800 y 1.000 especies distintas. Entre tantas variedades hay tanto especies arbustivas como arbóreas, trepadoras o de frutos comestibles como la higuera común.

Todo el género procede de las zonas tropicales y subtropicales de Asia y África, aunque el gusto del hombre por esta planta ha conseguido que se creen todo tipo de híbridos que hacen que cualquier aspecto o relación con las especies originarias de estas zonas casi sea imposible de detectar.

Las variedades que se comercializan para su uso ornamental distan mucho de reunir las características de las que crecen en estado salvaje; éstas pueden llegar a cubrir con las raíces aéreas, propias del género, una superficie de hasta 200 m². Este es uno de los mayores logros del género, las ramas caen hasta el suelo, penetrando en éste como cualquier raíz y sirviendo de soporte a la copa que, de esta manera, puede ir extendiéndose hasta alcanzar enormes dimensiones. Desde el punto de vista morfológico cabe destacar cómo algunas variedades producen lo que mucha gente cree que es un fruto, pero que en realidad se trata de una infrutescencia o reunión de multitud de frutos, es el sicono. Pero antes de que la planta llegue a estos niveles de desarrollo, nos encontramos con los ficus que se usan en oficinas y hogares. Su éxito en las tiendas de jardinería se debe a que poseen dos características muy extrañas para una planta tropical: no necesitan mucha luz, ya que están acostumbradas a vivir bajo la sombra de los grandes árboles selváticos, y soportan de una manera muy cómoda los ambientes secos. Son perfectos cuando nos enfrentamos a la decoración de habitaciones oscuras o zonas que deben disponer de aire acondicionado.

FICUS BENJAMINA

FICUS TREPADOR

Es el ficus más conocido. Desde su Indonesia natal, esta especie se ha extendido por todo el mundo gracias a su belleza, resistencia y facilidad de cuidado como planta de interior. Todas estas características provienen de los primeros ejemplares de la especie, que crecen como huéspedes a la sombra de otros árboles de gran tamaño; en un principio les sirven de protección frente a los rayos solares, pero poco a poco van estrangulándolos con sus tallos hasta eliminarlos y poder ocupar por entero su tronco.

Es de hojas perennes, verdosas, con forma entre elíptica y lanceolada de hasta 8 cm de longitud, y terminadas en una punta de unos 2 cm de largo. Los tallos son finos pero vigorosos, el central más grueso y leñoso. Los frutos, con frecuencia, no aparecen en los ejemplares para interior.

Existen multitud de variedades de este famoso ficus:

- *Bushy king.* De follaje muy compacto y jaspeado.

Las corrientes de aire son uno de los mayores peligros que pueden acechar a este ficus. Un brusco cambio de temperatura hará que, de manera súbita, en menos de una semana pierda más de la mitad de sus hojas.

- *Exotica.* Es la variedad original trepadora, sus hojas son de color verde oscuro y están uniformemente pigmentadas.
- *Golden king.* Su desarrollo es horizontal y en abierto, las hojas son verdes con marcas blancas cerca del pedúnculo o zarzillo de conexión con el tallo.
- *Golden princesa.* Una variedad más pequeña que la golden king y con las manchas entre amarillentas y blancas.
- *Hawai.* De pequeño tamaño, muy compacta, con tallos cortos pero muy ramificados.
- *Starlight.* Es la variedad más conocida entre las de hojas jaspeadas. Éstas aparecen con moteados lechosos.

NECESIDADES

- LUZ. Muy resistente a todo tipo de condiciones ambientales, puede desarrollarse en zonas de umbría y en rincones con muy poca luz. No obstante es con-

Toda la familia ficus posee hojas verdes y de tonalidades intensas. Un problema típico del ficus trepador es que sus hojas se tornen amarillas y se caigan, ocurre por exceso de riego o por la falta de hierro en el sustrato.

veniente, para un crecimiento más sano, ubicarla en una estancia con luminosidad media o en zonas con cierta claridad, pero siempre protegida de los rayos solares.

• TEMPERATURA. Gusta de temperaturas suaves, entre 12 y 25 °C.

• HUMEDAD. El ficus trepador muestra gran fortaleza frente a ambientes secos. Pero es recomendable contrarrestar la falta de humedad pulverizando sus hojas con agua descalcificada, una vez por semana. Así se consigue que la planta se desarrolle mejor.

CUIDADOS

• PLANTACIÓN, TRASPLANTE Y PODA. La poda está encaminada a mantener la planta frondosa, se despunta cada dos o tres meses, a excepción del invierno y se cortan las dos últimas hojas de cada rama terminal. El transplante se realizará cada año, en la primavera, cambiando la maceta por otra de 2 a 4 cm mayor. Si es una planta demasiado grande para manipularla se ha de sustituir, anualmente, sólo la capa superior del sustrato.

• RIEGO. Se suministrará agua tibia cada vez que el sustrato esté seco, ya que el agua fría puede dañar sus raíces y hacer que sus hojas se caigan. El ficus necesita un suelo ligeramente ácido, por eso el agua de riego ha de ser agua de lluvia o del grifo, a la que se le añadirán unas gotitas de limón para que con el tiempo no se torne alcalino y afecte a la salud de la planta.

• NUTRICIÓN Y SUPLEMENTOS. En primavera y verano se añadirá fertilizante líquido al agua de riego cada dos semanas. Para contrarrestar el amarilleo de las hojas se debe añadir quelato férrico, en la dosis que indique el fabricante, durante un mes en el invierno.

| Luz difusa | Riego escaso | 12-25 °C |

FICUS CARICA

HIGUERA

Aunque con frecuencia no se la relaciona con la familia ficus, la higuera o breva es uno de los ficus más extendidos. Es originario de Asia, pero crece espontáneamente en toda la cuenca del Mediterráneo.

Puede cultivarse como arbusto o como árbol de porte bajo. De lento crecimiento, sus hojas son caducas, lobuladas, de hasta 15 cm de largo y 12 de ancho. La corteza del tallo es lisa y gris. Los famosos higos o frutos no siempre aparecen en su cultivo en interior, son blandos, comestibles, de gusto dulce; en su interior, de color rosáceo y blanco, albergan lo que muchas personas creen que son semillas pero que en realidad son los verdaderos frutos de esta planta. El desarrollo de sus raíces es temido por mover los suelos donde están situadas. La higuera produce un látex irritante.

NECESIDADES

- LUZ. Necesita de un lugar soleado en el que durante la estación más cálida quede resguardada del contacto directo con los rayos solares.

- TEMPERATURA. Se ha de ubicar en una estancia con una temperatura suave y constante que oscile entre los 15 y los 22 °C. En exterior, la higuera es una planta muy resistente, que soporta temperaturas inferiores a -10 °C, pero todas sus hojas se caen y el metabolismo se paraliza casi por completo, por lo que después le cuesta mucho tiempo, y esfuerzo, recuperarse.

- HUMEDAD. No es una variable a tener en cuenta con esta planta. Agradece tanto lugares con temperaturas suaves y secas como los climas más cálidos y húmedos. Se ha de vigilar la planta para prevenir la aparición de plagas de hongos si la humedad del ambiente aumenta considerablemente.

CUIDADOS

- PLANTACIÓN, TRASPLANTE Y PODA. La multiplicación se realiza por esquejes. Se toma en verano un tallo joven no

No todas las variedades de higueras producen frutos comestibles. Aun dentro de esta categoría tampoco todos son de un gusto agradable. La ingesta excesiva de frutos puede ocasionar problemas gastrointestinales.

leñoso y se mantiene en agua durante unos días, hasta que comience a desarrollarse. Más tarde se implanta en una maceta compuesta únicamente de turba, se regará con mucha frecuencia y en muy escasa cantidad. Pasados dos meses se trasplantará a una maceta mayor compuesta de perlita, turba y arena de río a partes iguales.

• RIEGO. Moderado durante el invierno, ha de ser copioso y aplicado cada dos días durante el verano.

• NUTRICIÓN Y SUPLEMENTOS. Ha de suministrarse abono químico sólido durante el invierno; un puñadito mensual, durante tres meses, será suficiente para mantener vigorosa y fuerte la planta.

Semisombra	Riego moderado	15-22 °C

Las ramas y el tallo de la higuera se convierten en semileñosos dos años después de su nacimiento. Para la multiplicación se han de seleccionar esquejes con todo el tallo carnoso y verde.

FICUS CITRIFOLIA

FICUS VILLOSA

Es conocido en Sudamérica como higuerón. En las zonas de México hasta Paraguay donde crece, aparece como árbol de hasta 15 m de altura con abundantes raíces aéreas. En interiores es un arbusto, con la copa de color verde oscuro brillante y las ramas jóvenes de color marrón amarillento. Las hojas entre oblongas y elípticas, de 12 - 20 cm de largo por hasta 8 cm de ancho, tienen la base redondeada o atenuada; son lisas, de consistencia algo coriácea, con una decena de pares de nervios laterales. Los frutos sólo se dan en ejemplares arbóreos.

El ejemplar de la imagen es uno de los ficus villosa más grande que se conocen. En zonas del interior de México ha encontrado su entorno perfecto para un desarrollo arbóreo de estas dimensiones.

NECESIDADES
- Luz. Requiere una habitación soleada, con amplios ventanales o un pasillo muy iluminado.
- TEMPERATURA. Proviene de climas cálidos y no tolera las heladas ni los cambios bruscos de temperatura. Resulta conveniente mantenerlo entre los 10 y los 30 °C, en un entorno térmico estable.
- HUMEDAD. Es una de las variedades que mejor tolera los ambientes secos, puede desarrollarse perfectamente en estancias con una potente calefacción y con escasa humedad.

CUIDADOS
- PLANTACIÓN, TRASPLANTE Y PODA. La multiplicación se realiza por esquejes; durante el invierno se toma algún brote de al menos dos años y se selecciona que tenga más de dos nudos u hojas. Se ha de implantar en una maceta con 2/3 de turba y 1/3 de arena de río. La poda será anual a partir del tercer año y su carácter es eminentemente morfológico, se pretende dar la forma deseada a la planta.
- RIEGO. Moderado durante todo el año. En la estación más cálida se suministrará una vez cada tres días y en el invierno una vez a la semana.
- NUTRICIÓN Y SUPLEMENTOS. Ha de aplicarse fertilizante líquido durante la primavera junto al agua de riego.

| Luz difusa | Riego moderado | 10-30 °C |

FICUS DIVERSIFOLIA

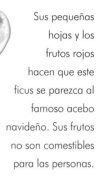

Sus pequeñas hojas y los frutos rojos hacen que este ficus se parezca al famoso acebo navideño. Sus frutos no son comestibles para las personas.

HIGUERA ACEBO

Esta curiosa planta, originaria del sudeste asiático, varía su altura dependiendo de la región en la que sea cultivada: pasa de los más de 5 m de su hábitat natural a los 2 m escasos de las zonas tropicales o el apenas 1 m de los ejemplares para su cultivo como planta de interior en zonas más meridionales. En los viveros podemos encontrarle como un arbusto perenne de hojas alternas, más o menos simétricas, con forma de espátula, que mide alrededor de 8 cm de longitud. Poseen un ápice, o punta de la hoja, algo redondeado. Como otros ficus tienen una textura coriácea y son de color verde brillante por el haz y más oscuras por el envés. El pecíolo es de tamaño medio, de 1,5 a 2 cm de longitud, y la nervadura resulta poco sobresaliente.

Aunque la floración y los frutos sólo se dan en ejemplares adultos, el escaso tamaño de la planta hace que en los puntos de venta sean este tipo de plantas las que más abundan. Los frutos aparecen en solitario o en parejas, en las zonas axilares de la planta y sobre un pedúnculo de 1,5 cm de largo, van desde el amarillo al rojizo de los maduros.

NECESIDADES
- LUZ. Es una de las variedades de ficus que más luz necesita, aunque no tolera el contacto directo con el sol.
- TEMPERATURA. Necesita temperaturas entre frescas y suaves. No es conve-

niente que el termómetro marque registros mayores de 25 °C.
- HUMEDAD. Gusta de ambientes ligeramente húmedos. Para aportarla humedad bastará con limpiar sus hojas una vez por semana con un paño ligeramente húmedo.

CUIDADOS
- RIEGO. Durante todo el año se usará la técnica de tierra seca-tierra húmeda. Regando únicamente cuando la primera capa de sustrato esté seca. Nunca ha de suspenderse el riego por un período superior a dos semanas.
- NUTRICIÓN Y SUPLEMENTOS. El abono sólido es la opción más conveniente para este tipo de planta. Se suministrará antes de la floración durante uno o dos meses, según recomiende el fabricante del producto.

| Luz difusa | Riego moderado | Menos de 25 °C |

FICUS ELASTICA

ÁRBOL DEL CAUCHO

Originario de Malasia, fue introducido en Europa en 1815. Es una de las plantas de interior más conocidas. Se le llama árbol del caucho porque todas sus partes son muy ricas en un látex gomoso del que se extrae esta sustancia. En su hábitat natural se desarrolla de forma arbórea pudiendo alcanzar más de 30 m de altura. En otras latitudes y en interiores se comporta como un arbusto perenne. Su tallo es erecto, está provisto de hojas persistentes, coriáceas, de aspecto parecido al cuero, con forma aovada y alargada que termina en punta. Son de color verde intenso con un brillo característico que se asemeja a una capa de barniz. Las hojas presentan distinta disposición según sea un ejemplar adulto o joven: durante los primeros años de vida aparecen de forma horizontal para más tarde aparecer de manera vertical y acompañados de una bráctea rojiza. Algunas de las más conocidas variedades de esta planta:

- *Decora*. Sus hojas se distinguen por ser más redondeadas y más erectas que la variedad común. Por esta disposición puede apreciarse a simple vista el nervio central del haz y, al mismo tiempo, su rojizo envés.
- *Doescheri*. Se aprecian motas verdes y amarillas que cubren la mayor parte de la superficie de las hojas.
- *Schrijveriana*. De hojas manchadas de verde amarillento y con motas verde oscuro.

Hay dos signos que confirman la madurez de un ejemplar de árbol del caucho: la aparición de brácteas rojizas en los nuevos brotes y sus frutos, que, aunque no es habitual verlos fuera del ambiente original, son esféricos, con la superficie lisa, verdosa y punteada.

- *Robusta*. Se reconoce por sus hojas anchas, verdes, que crecen muy cerca unas de otras.

NECESIDADES

- LUZ. Ha de recibir bastante luz, es uno de los ejemplares más delicados de la familia ficus. Puede desarrollarse sin problemas en zonas de sombra, pero se acelerará su crecimiento y el vigor de la planta si se ubica en una habitación con abundante luminosidad.
- TEMPERATURA. Se adapta a la práctica totalidad de los climas, únicamente se debe considerar que no haya heladas fuertes. No se recomienda su cultivo en zonas en las que las temperaturas bajen de los 0 °C. Si la ubicamos en un lugar donde el termómetro osci-

le entre 12 y 28 °C podremos admirar su óptimo desarrollo.

- HUMEDAD. Si el clima es seco, o durante el invierno en interiores con fuerte calefacción, se pulverizarán las hojas con agua descalcificada cada dos o tres días. Si la necesidad de humedad es aún mayor se debe aplicar la siguiente técnica: preparar un cuenco o cazuela ancha con abundante agua fresca en la que se colocará el tiesto durante dos horas cada semana. De esta forma conseguimos que la planta absorba la humedad que considere oportuna.

CUIDADOS

- PLANTACIÓN, TRASPLANTE Y PODA. Para su trasplante o para una primera implantación tras la compra, usaremos un suelo poroso rico en materia orgánica; una buena receta de sustrato se compone de 3/5 de tierra negra, 1/5 de resaca de río y 1/5 de turba. Ha de estar todo preparado en una maceta de 20 a 25 cm de profundidad. La poda se realiza para corregir a la planta y hacer más lento su crecimiento. De cada corte que se haga brotará el látex. Para ayudar a cortar la hemorragia se puede rociar esta herida con ceniza de madera. La multiplicación se realiza por esquejes. Se toman las ramas superiores de la planta, han de ser nuevas, tiernas y con al menos dos hojas. Con este tipo de multiplicación-poda se consigue también favorecer el crecimiento de las ramas inferiores.

- RIEGO. Ha de ser moderado. Se dejará secar los dos o tres primeros centímetros del sustrato entre riego y riego.

- NUTRICIÓN Y SUPLEMENTOS. Durante la estación cálida se añadirá fertilizante líquido al agua de riego.

Luz difusa	Riego moderado	12-28 °C

FICUS LIRATA

ÁRBOL LIRA

Se ha encontrado su origen en el África subtropical; esta planta, arbórea en su hábitat natural, recibe el nombre de árbol lira por el parecido que sus hojas tienen con las cuerdas del conocido instrumento.

De hojas verde oscuro, perennes, coriáceas, ovaladas, que se disponen alternativamente y tienen un pecíolo, o engan-

Cualquier rincón de la casa, exceptuando los que el sol incida de manera directa, es bueno para colocar el árbol lira. Si se desea que deje de crecer verticalmente hay que podar cada año el tallo terminal.

che entre la hoja y el tallo, muy corto. Su característica más conocida es la prominente nervadura que ha dado el nombre popular a esta planta. La floración se da únicamente en ejemplares adultos y no es habitual como planta de interior.

NECESIDADES

- LUZ. No es exigente a este respecto. Gusta de un lugar iluminado, pero se desarrolla cómodamente aunque no reciba contacto directo del sol.
- TEMPERATURA. Es necesario un clima ligeramente cálido, no soporta las heladas y ha de mantenerse entre los 15 y los 30 °C.
- HUMEDAD. Crece de una forma más sana en entornos mixtos o secos. La humedad provoca plangas de hongos que pueden resultar letales.

CUIDADOS

- PLANTACIÓN, TRASPLANTE Y PODA. La multiplicación se realiza por semillas: para conseguir nuevos ejemplares no li-

gados genéticamente a los anteriores se recomienda comprarlas en viveros y centros de jardinería. O bien por esquejes; se toman brotes de más de un año con al menos dos hojas y se rocía la parte del corte con enraizador. Se mantendrá el brote un mes en una pequeña maceta con turba y pasado este tiempo se implantará en otra mayor con 1/3 de perlita y 2/3 de tierra de río.

- RIEGO. Ha de ser moderado. Se debe suministrar cada tres o cuatros días en verano y alargarlo a un riego ocasional por semana durante la estación fría.
- NUTRICIÓN Y SUPLEMENTOS. Para evitar que la planta pierda fuerza durante el invierno se ha de añadir fertilizante líquido, durante un mes, al agua de riego.

| Luz difusa | Riego moderado | 15-30 °C |

FICUS PUMILA

FICUS RASTRERO

Llamado también ficus enano, ficus tapizante o ficus de China, es originario del Sudeste asiático y tiene su mayor particularidad en la gran capacidad para aferrarse, por sí mismo, a todo tipo de superficies. En los bosques de Asia tapiza todo tipo de tocones, cortezas y piedras. En interiores se usa como planta colgante, para tapizar jardineras o como pequeña planta

La sombra es su hábitat natural. En Asia vive protegido de los rayos solares por los grandes árboles que va tapizando.

La gran capacidad que tiene para trepar y aferrarse a cualquier superficie puede aprovecharse para hacer con él todo tipo de composiciones y formas ornamentales. Bastará con crear una guía metálica o en madera con la forma deseada y dejar que el ficus crezca sobre ella.

pulverizada. Será tibia, descalcificada y con una frecuencia que oscilará entre los diez días y una vez cada dos semanas.

CUIDADOS

- PLANTACIÓN, TRASPLANTE Y PODA. Es fundamental construir un sustrato con buen drenaje, pues la acumulación de humedad en el fondo de la maceta favorece que las raíces se pudran. La multiplicación se realiza por esquejes y pueden aprovecharse los restos de la poda anual ornamental.
- RIEGO. Será escaso pero con gran frecuencia. El sustrato ha de permanecer ligeramente húmedo en todo momento. Una orientación muy acertada sería una vez cada dos o tres días en verano y cada semana durante la estación fría.
- NUTRICIÓN Y SUPLEMENTOS. Hay que tener a mano fertilizante líquido para recurrir a él durante el invierno si la planta comienza a perder vigor. Se aplicará durante un mes junto al agua de riego.

baja. Sus hojas, de hasta 4 cm de largo, presentan una silueta acorazonada y son de un color verde oscuro, aunque hoy en día hay múltiples híbridos y variedades que tienen hojas matizadas en blanco o amarillo. Sus inflorescencias son realmente pequeñas y apenas visibles. Los frutos que proporcionan cada temporada si el clima acompaña son de escaso tamaño y no deben ser ingeridos. El tallo es la parte de la planta que actúa como sujeción gracias a sus pequeñas raíces adherentes.

NECESIDADES

- LUZ. Semisombra o zonas en las que nunca incida el sol de manera directa.
- TEMPERATURA. Ha de mantenerse en zonas frescas. Durante el invierno es mejor colocarlo en habitaciones sin calefacción. Se recomienda instalarlo en lugares donde la temperatura se mueva entre los 5 y los 18 °C.
- HUMEDAD. Cultivado como planta de interior ha de aplicársele, siempre, agua

| Semisombra | Riego escaso | 5-18° C |

GERANIÁCEAS

Del griego *geranos*, que significa grulla, aparece el nombre de esta familia, debido a que en la antigüedad encontraron gran parecido entre los frutos de estas plantas, en especial los de las especies del género *Geranium*, con la cabeza y el pico de este ave. Existen más de 700 especies en países templados y subtropicales, especialmente en África del sur y el Mediterráneo.

Son una familia de subarbustos de hojas simples que tienen hojas con un tacto ligeramente áspero; son lobuladas y en algunos ejemplares muy divididas. Sus flores son hermafroditas, suelen estar agrupadas en umbelas, de cáliz con cinco sépalos libres, falsos pétalos que rodean a la flor y corola con cinco pétalos. En el centro de la flor se encuentra el androceo, o zona reproductora con células masculinas, con diez estambres que en ocasiones, como en el género *Pelargonium*, pueden ser tres.

Los geranios son uno de los géneros más apreciados por quienes aman la jardinería. Resultan vistosos, elegantes, no requieren cuidados profesionales y, por encima de todo, son un elemento decorativo muy versátil: se usan en pequeñas y grandes jardineras; en interior y exterior; solos o acompañados de otras plantas ya que tienen la capacidad de adornar allí donde son situados.

Geranium pratense (geranio), de autor anónimo. De William Curtis, *Flora Londinensis*. Vol. 2, fasc. 43 (1782). (Cortesía de la Biblioteca Botánica, Museo Británico de Historia Natural.)

Geranium pratense.

PELARGONIUM CAPITATUM

GERANIO DE OLOR A ROSAS

Llamado malvarosa en algunas islas del Atlántico, este ejemplar tiene la particularidad de desprender olor a rosas cada vez que se frotan sus hojas, tallos o flores. Morfológicamente tiene gran parecido al *pelargonium crispum* y al *pelargonium graveolens*, los tres son geranios fragantes nacidos como híbridos de algunos geranios espontáneos. En este caso toda la planta está recubierta de un vello blanquecino, sus hojas son algo carnosas, con el limbo rosado, los nervios definidos y muy irregulares. La planta alcanza hasta 1,5 m de altura, pero es raro ver ejemplares que superen los 80 cm. Sus flores son pequeñas, con cuatro o seis pétalos habitualmente morados, crecen de una umbela que se eleva por encima de las hojas y en la zona en la que se insertan a ésta tiene un rayas o jaspeado de color más claro.

NECESIDADES

- LUZ. Se coloca en terrazas y ventanas, para su instalación bajo techo ha de situarse en una zona muy soleada, cercano a una gran ventana o una cristalera.
- TEMPERATURA. Resiste temperaturas muy bajas, puede soportar de dos a tres días de heladas leves. En cuanto a las temperaturas máximas, puede florecer sin problemas hasta con temperaturas superiores a los 30 °C.
- HUMEDAD. Es recomendable tenerlo en un ambiente ligeramente seco. El exceso de humedad, unido al pelo que le protege, es el caldo de cultivo perfecto para una infección por hongos.

CUIDADOS

- PLANTACIÓN, TRASPLANTE Y PODA. Ha de trasplantarse cada año a un suelo nuevo, suelto, arenoso y con algo de arcilla. La poda se realiza en primavera, aunque se prepara duran-

La floración aparece más tarde que en otras variedades, a mitad de la primavera aparecen unos capullos alargados que en apenas dos semanas se abren por completo.

te el invierno manteniéndolo en un lugar fresco, con apenas agua; perderá las hojas, pero tras la poda habrá ganado frondosidad.

- RIEGO. Moderado, durante la época de floración se aplicará cada tres días una cantidad pequeña de agua descalcificada. En el invierno ha de seguirse el método de tierra húmeda-tierra seca, no aplicando riegos como mínimo en una semana.

- NUTRICIÓN Y SUPLEMENTOS. Los abonos ricos en nitrógeno dan vigor a la planta y aportan fuerza para que todas sus hojas aparezcan lozanas.

| Pleno sol | Riego moderado | 0-30 °C |

PELARGONIUM CRISPUM

GERANIO LIMÓN

Este ejemplar resulta más difícil de describir en los libros que en la vida real. Los botánicos no se ponen de acuerdo con la nomenclatura a aplicar a esta variedad, unos reclaman como oficial la *pelargonium crispum*, pero para otros tiene más sentido usar *pelargonium graveolens*. Lo cierto es que este híbrido, procedente de Sudáfrica, es a su vez producto de la unión de varios otros híbridos, pero lo que resulta incontestable a la hora de reconocerlo cuando se está delante de un ejemplar es el olor a limón que desprenden sus flores y cualquier parte de la planta cuando se toca. Posee hojas carnosas, ligeramente aterciopeladas, partidas, rizadas y con el limbo que se torna rojizo según madura la planta. Las flores son asimétricas, de pequeño tamaño y normalmente violetas. Se presentan en una umbela que tiene un pedúnculo, o pequeña rama de unión con

La floración

aparece en la primavera y se prolonga durante todo el verano, aunque sus flores no siempre duran tanto, pues son más delicadas que las de otras variedades de la familia.

el tallo, largo, que sobresale de entre las hojas.

NECESIDADES
- LUZ. Ha de colocarse a pleno sol. En estancias bien iluminadas en las que podamos garantizar baños diarios de sol de, al menos, tres horas.

- TEMPERATURA. Es una de las variedades más usadas en interior, gusta de temperaturas suaves y estables. El frío y los cambios bruscos en el termómetro producen la caída temprana de sus flores. No habrá problemas para su desarrollo si se mantiene entre los 10 y los 25 °C.
- HUMEDAD. No presenta problemas en este aspecto. Necesita un ambiente con humedad media, pues su exceso favorece la aparición de hongos.

CUIDADOS

- PLANTACIÓN, TRASPLANTE Y PODA. La multiplicación puede conseguirse o bien por semillas o bien por esquejes. El segundo de los sistemas es el más recomendable porque se necesita menos tiempo para conseguir un ejemplar adulto. Los esquejes se plantan en macetas con tierra de jardín y se dejan enraizar en un lugar caluroso y húmedo.

El sustrato que se debe usar ha de ser ligeramente ácido, con la tierra muy suelta y con buen drenaje.

- RIEGO. Hay que diferenciar dos épocas: durante la floración se aplicará dos veces por semana, y una vez que sus flores caigan y hasta la llegada de la siguiente primavera se regará cada vez que el sustrato se seque, nunca más de una vez cada diez días.
- NUTRICIÓN Y SUPLEMENTOS. Se debe aplicar abono nitrogenado durante el invierno. Si la planta crece débil puede tratarse con complementos específicos para geranios fragantes que se venden en todas las tiendas de jardinería.

Pleno sol	Riego moderado	10-25 °C

PELARGONIUM GRANDIFLORUM

GERANIO FRANSE

Esta variedad surge de la unión de especies de geranios y pensamientos. Se consigue una planta con flores carnosas, de grandes dimensiones, con forma de embudo y de multitud de colores. Las hojas son serradas en su limbo y de color verde oscuro. Las variedades más conocidas son: *gran slam* de color rojo vivo, *la-*

El geranio franse tipo posee unas flores con unos pétalos parecidos a los de los pensamientos.

vender gran slam rosado y *white glory* blanco. Es la especie más adecuada para su cultivo en interiores.

NECESIDADES

- LUZ. Ha de ubicarse en una estancia muy luminosa y ligeramente soleada. No debe estar situado en zonas a pleno sol, ni encontrarse en un lugar en el que los rayos solares de las horas centrales del estío incidan sobre sus flores.
- TEMPERATURA. A diferencia de otras variedades, el geranio franse necesita una estancia con la temperatura constante y sin cambios bruscos, pues perdería sus hojas. Se recomienda poner la temperatura entre 10 y los 28 °C.
- HUMEDAD. Se conserva con mayor vigor en lugares secos.

CUIDADOS

- PLANTACIÓN, TRASPLANTE Y PODA. La multiplicación se realiza durante el verano, por esquejes, se toman tallos nuevos y se implantan en un sustrato arenoso, húmedo y cálido. La poda, en estos ejemplares, se realiza al final del verano.
- RIEGO. Será moderado durante el invierno y diario desde la floración hasta la caída de las hojas.
- NUTRICIÓN Y SUPLEMENTOS. Se aportará abono líquido con el riego, en invierno, durante un mes.

Luz difusa	Riego moderado	10-28 °C

Los diversos híbridos consiguen variar la forma y el color de las flores, pero la zona de sombra o mancha oscura inferior típica del género permanece constante.

PELARGONIUM GRAVEOLENS

GERANIO ROSAL

Es una de las variedades más comercializadas por su belleza y por su fragancia. Del geranio rosal se obtienen aceites esenciales que son utilizados en perfumería, cosmética y medicina natural. Natural de Sudáfrica, es cultivado en regiones tropicales de todo el mundo. Es una planta perenne que cuando madura se convierte en leñosa en la base y pelosa en las zonas superiores. De hojas alternas, con forma lobular irregular, tiene unas flores relativamente pequeñas en comparación con otras especies del género, son rosadas o moradas, con cinco o seis pétalos y una mancha más oscura en la zona de unión de algunos pétalos con la umbela.

Las terapias naturales y la medicina alternativa indican que el geranio rosal tiene propiedades tónicas, antidiabéticas y astringentes. Es usado en el tratamiento de afecciones del corazón, astenia, gastroenteritis, hemorragias y anginas.

NECESIDADES

- LUZ. Usado tanto en jardines, terrazas e interiores, ha de estar situado en una zona soleada, en una estancia con gran cantidad de luz.
- TEMPERATURA. Hay que resguardarlos de las heladas y de los cambios bruscos de temperatura. Vive con toda normalidad entre los 15 y los 35 ºC.
- HUMEDAD. Ha de proporcionarle un ambiente seco, pero no tolera la cercanía a fuentes de calor, como radiadores o aparatos de aire acondicionado.

CUIDADOS

- PLANTACIÓN, TRASPLANTE Y PODA. Los esquejes son la forma más cómoda de conseguir nuevos ejemplares; han de implantarse en agua o en turba húmeda y cálida hasta que echen raíces. Más tarde se colocan en una maceta con tierra de

Para mejorar la calidad de la tierra de la maceta, en el trasplante anual, hay que añadir al sustrato original una mezcla al 50% de turba y arcilla.

río, tejas rotas o guijarros y turba. La mezcla ha de quedar muy suelta.

- RIEGO. En el invierno han de aplicarse riegos cada diez días, esperando siempre a que la parte superficial del sustrato se haya secado. Durante la estación más cálida se debe regar cada dos días.
- NUTRICIÓN Y SUPLEMENTOS. Si las hojas no terminan de abrirse o amarillean,

ha de aplicarse, junto al agua de riego, fertilizante líquido en la dosis que el fabricante recomiende.

| Pleno sol o luz abundante | Riego moderado | 15-35 °C |

PELARGONIUM PELTATUM

GERANIO DE HIEDRA

Llamado también gitanilla en el sur de España, el geranio de hiedra es originario de Sudáfrica, desde donde llegó a Europa en el año 1710. De carácter perenne, tiene la peculiaridad de poseer ramas finas, delgadas y rastreras que cuelgan por los laterales de la maceta. Las hojas, levemente carnosas, presentan gran similitud con las de la hiedra, de ahí la denominación popular de esta planta.

Sus flores se aparecen en umbelas poco densas, varían de un híbrido a otro su tamaño y color.

Las hojas se insertan en el tallo por un largo pecíolo que nace de la parte central de ésta.

NECESIDADES
- LUZ. A pleno sol. Esta variedad necesita la mayor cantidad posible de luz. En interior hay que situarla en estancias con una orientación que permita que el sol incida sobre ellas al menos cuatro horas diarias en invierno y seis en verano.
- TEMPERATURA. Es uno de los ejemplares más duros, soporta heladas con

temperaturas de hasta -3 °C, para los que se colocan en terrazas y ventanas. Puede desarrollarse con toda tranquilidad en ambientes de hasta 30 °C.
- HUMEDAD. En interior no ha de situarse junto a un foco de calor (calefacción, aire acondicionado, radiadores eléctricos), porque aunque tolera ambientes ligeramente secos, es una planta que gusta una humedad media y alta en el ambiente.

Las plantas han de ser renovadas cada cuatro o cinco años. El agotamiento de su capacidad de floración se puede percibir desde el tercer año.

CUIDADOS

- PLANTACIÓN, TRASPLANTE Y PODA. Cada año se realiza una poda de corrección para orientar el crecimiento de la planta en la dirección que consideremos más oportuna. Se puede aprovechar esta poda y tomar algunos brotes jóvenes para conseguir nuevos ejemplares. La implantación se realiza primero en jardineras de crecimiento, llenas de turba y una pequeña cantidad de abono, pasado un mes se cambiará a una maceta definitiva con un sustrato de turba, perlita y tierra de jardín.

- RIEGO. Desde que se produce la floración hasta su desaparición se ha de regar con mucha frecuencia y en pequeñas dosis, nunca inundar la maceta, puede hacerse cada día o cada dos días dependiendo del tamaño de la maceta. Durante el invierno se suspenderá el riego hasta una vez a la semana.

- NUTRICIÓN Y SUPLEMENTOS. En la estación fría hay que aplicar fertilizante líquido, con el agua de riego, durante un mes.

| Pleno sol | Riego moderado | -3-30 °C |

PELARGONIUM ZONALE

GERANIO

Conocido también como *Pelargonium x hortorum,* nos encontramos con el geranio tipo. Es originario de Sudáfrica, y se introdujo en Europa tardíamente, a principios del siglo XVIII. Es una planta perenne, con un tallo poco ramificado que no sobrepasa los 150 cm de altura, la media se

encuentra entre 40 y 60 cm. Sus hojas son toscas, anchas y se alternan en el tallo, redondeadas y con el borde ondulado. Las flores pueden ser simples o dobles, pero siempre provistas de alargados pétalos; se encuentran reunidas en umbelas, que sobresalen de la zona verde de la planta. Los colores más habituales son: rojo, blanco, rosa o morado.

NECESIDADES

- LUZ. A pleno sol. De esta forma se favorece la floración. En lugares muy calurosos se recomienda ponerla en semisombra o, al menos, cobijarla del sol de las horas centrales del día.
- TEMPERATURA. Resistente a diversos tipos de climas, se adapta con facilidad a cualquier rango de temperaturas. No ha de mantenerse en zonas con heladas continuas ni tampoco en las que se dé la combinación entre alta humedad y elevadas temperaturas. Puede desarrollarse sin problemas entre los 0 y los 35 °C.
- HUMEDAD. Aunque requiere un sustrato húmedo, no es conveniente mojar sus flores ni sus hojas. Aparecen con frecuencia plagas de hongos.

La flor del geranio puede ser de color rojo, blanco, rosa o morado.

CUIDADOS

- PLANTACIÓN, TRASPLANTE Y PODA. El sustrato idóneo para este ejemplar ha de contar siempre con tierra de bosque, turba y arena. El suelo no ha de ser calcáreo. La multiplicación se realiza por esquejes al principio de cada primavera.
- RIEGO. En la estación fría se puede aplicar un riego semanal. Durante el verano hay que regar a diario, pero en poca cantidad.
- NUTRICIÓN Y SUPLEMENTOS. Diversos fabricantes han puesto en el mercado quelatos y preparados específicos para potenciar el color de los geranios. También resulta conveniente aplicar abono sólido cada dos inviernos.

Las hojas del geranio son toscas, anchas y presentan el borde ondulado.

| Pleno sol | Riego moderado | 0-35 °C |

HIEDRAS, TREPADORAS Y COLGANTES

Este amplio grupo de plantas se adapta a diversos usos que recomiendan su cultivo: como ornamento para cubrir fachadas, celosías, paredes o vallas, incluso para crear emparrados o pérgolas bellas y sombreadas, para tapizar el suelo, para hacer setos o simplemente para deleitarnos con su aroma y floración.

Este tipo de plantas se clasifican de distintas formas. Uno de los patrones distingue entre las de hoja caduca y las de follaje perenne. También existen trepadoras autoadherentes gracias a una ventosa que poseen, mientras que otras requieren soportes en los que enredarse, como cuerdas o alambres. Finalmente hay especies llamadas anuales, que sólo pueden cultivarse un año, tras el cual se desechan, normalmente cuando el clima es muy frío en invierno.

A la hora de escoger la trepadora más idónea debemos considerar no sólo nuestros gustos estéticos sino el clima, el sustrato y los fines deseados. Por ejemplo, la buganvilla es perfecta para clima mediterráneo, pero no soporta las heladas invernales de ciudades como Madrid; la madreselva resulta especialmente resistente en zonas ventosas; y los suelos arcillosos o muy húmedos no son recomendables con carácter general, sino que deben ser ácidos, neutros o alcalinos cuidando que haya hierro.

La mayoría de las trepadoras puede plantarse en cualquier

Las hiedras crecen muy deprisa y con un poco de cuidado y paciencia podemos tapizar toda una fachada logrando una casa que llame la atención exteriormente.

época del año, siempre que el calor o el frío no sean excesivos, por ello lo más adecuado es hacerlo en primavera o a principios de otoño. Hay que tener cuidado con no plantarlas muy juntas en el caso de que se trate de varios ejemplares, para evitar que se enmarañen unos con otros. El compost más apropiado es un abono orgánico, como mantillo, estiércol o turba, incluyendo abono mineral (unos 25 gramos de fertilizante de liberación lenta mezclados con tierra, por cada planta).

Otro consejo útil para el abonado es el siguiente: si se quieren lograr floraciones grandes emplear abonos ricos en potasio, mientras que para favorecer las hojas es conveniente un abono rico en nitrógeno. Con respecto al riego, este tipo de plantas necesitará bastante agua en los primeros momentos, hasta que las raíces vayan profundizando y empiecen a crecer, pero después se va reduciendo paulatinamente, puesto que muchas especies podrían prácticamente vivir del agua de lluvia. Un consejo: más vale quedarse corto que pasarse, y regar siempre al amanecer o al atardecer.

ALLAMANDA CATHARTICA

TROMPETA DE ORO

Como las trepadoras desarrollan amplio ramaje, los contenedores de las mismas deberán tener medidas de unos 60 cm tanto de anchura como de profundidad, aunque hay que realizar diversos tipos de poda cada cierto tiempo. Así, hay una poda de formación para darle forma nada

Para mantener la *allamanda* en todo su esplendor se deben vigilar las plagas de cochinilla, pulgón, araña roja y mosca blanca.

Pese a su belleza, sus hojas son tóxicas y causan vómitos y diarrea.

más plantarla (abanico, espaldera o cordón), de limpieza para despojar a la planta de hojas secas o excesivas (anual), de floración para la renovación de ramos (únicamente se lleva a cabo en las que tengan flores ornamentales) y de renovación cuando el ejemplar es viejo y hay que sanearlo. Finalmente hay que tener en cuenta que las trepadoras no suelen trasplantarse, y en todo caso habría que hacerlo en invierno. Además, son versátiles por lo que se refiere a la reproducción, que podrá hacerse por semillas, injerto, esquejes o estacas, acodo o división e hijuelos.

Como su nombre indica, se trata de una enredadera caracterizada por su floración en forma de trompeta, de tonalidad amarilla y aroma que varía según el cultivo. Estas flores, aunque pueden darse todo el año, suelen aparecer desde mediados de la época estival al otoño.

Es de hoja perenne y muy original para dar un toque especial a nuestro hogar o jardín, pues no es especialmente conocida.

NECESIDADES

- LUZ. Esta planta gusta de la semisombra, con algunas horas de sol y el resto de umbría, por lo que es ideal tenerla cerca de un árbol.

- TEMPERATURA. Podemos tener la trompeta de oro en exterior todo el año siempre que el clima no sea muy frío, es decir, que no haya fuertes heladas en invierno. En esta estación tiene que reposar nocturnamente con temperaturas de entre 15 y 18 °C.

- HUMEDAD. La *allamanda* requiere bastante humedad en el ambiente, de modo que es bueno vaporizarla, sobre todo en los días calurosos de verano.

CUIDADOS

- PLANTACIÓN, TRASPLANTE Y PODA. Al comienzo de cada primavera, trasplantar y podar los tallos para estimular la floración. También anualmente se limpiarán las ramas secas o excesivamente largas. La *allamanda* se reproduce de diversas formas: por división de mata, semillas o esquejes que tengan una longitud de 15 cm.

- RIEGO. Se debe situar esa planta sobre suelos con buen drenaje para que no se encharque la tierra con el riego, que se hará dos veces por semana en verano y una vez por semana o cada diez días en invierno. El agua no debe ser caliza.

- NUTRICIÓN Y SUPLEMENTOS. Como es de hoja perenne, para evitar que el follaje amarillee hay que aportar nutrientes en forma de abono cada dos semanas tanto en primavera como en verano.

| Semisombra | Riego medio | 15-18 °C |

ARISTOLOCHIA ELEGANS

ARISTOLOQUIA

De la familia de las aristoloquiáceas típica de Brasil, es una trepadora perenne bastante exótica que da un toque especial a los jardines. Sus tallos son delgados, pero alcanzan hasta 10 m de longitud en tiempo récord. Como es habitual en las trepadoras, sus hojas aparecen de forma alterna, simples y con rasgos de corazón en la base.

Las flores, de 8 a 10 cm de ancho, se disponen axilarmente, solitarias o reunidas en ramilletes, con cáliz alargado y petaloide, y nacen de primavera a otoño seguidas de frutos de 4 cm y tono verde.

Todo el primer año requerirá la ayuda de un tutor para trepar, pues no posee sistemas de agarre propio como las ventosas o los zarcillos.

La floración sorprende por su variada y llamativa tonalidad: garganta amarilla, reflejos verdes, orlas moradas y nervios blancos.

NECESIDADES

- LUZ. Lo más adecuado es tenerla en el exterior en una zona sombreada, arropada por árboles, por ejemplo, evitando el sol directo estival.
- TEMPERATURA. Se trata de una planta muy delicada que hay que mantener a unos 10 °C y con mínimas soportables de 5 °C. Si hay probabilidad de heladas se traslada al interior para resguardarla.
- HUMEDAD. Puede vaporizarse para mantener el compost húmedo y drenado.

CUIDADOS

- PLANTACIÓN, TRASPLANTE Y PODA. Para podar la planta se eliminan en invierno las ramas que no se deseen. La reproducción es en primavera, por semillas o esquejes mantenidos en invernadero o debajo de un plástico.

- RIEGO. Regaremos la aristoloquia abundantemente en verano, cada dos o tres días, reduciendo las aportaciones de agua el resto del año.
- NUTRICIÓN Y SUPLEMENTOS. Le irá muy bien añadir anualmente (a mitad de primavera) abono orgánico compuesto por estiércol u otro químico rico en nitrógeno.

| Semisombra | Riego abundante en verano | 5-10 °C |

CESTRUM NOCTURNUM

REINA DE LA NOCHE

Se conoce vulgarmente también por galán de noche o zorrillo, proviene de regiones tropicales de América y es de la familia de las solanáceas. Al igual que la pasionaria es un arbusto de hojas perennes, aunque en ocasiones pierde el follaje en invierno, que puede alcanzar una altura de 1 a 4 m. Las hojas, en tono verde claro, son ovaladas, simples y alternas. La floración, tubular y agrupada numerosamente, aparece en color amarillo verdoso o blanquecino desde finales de primavera al final de la época estival. Los frutos, blancos, son del tipo baya.

NECESIDADES

- LUZ. Mantener a pleno sol si la temperatura ambiental no es muy alta o con intervalos de ligera sombra, porque en exceso dificulta la floración.
- TEMPERATURA. Un clima suave es perfecto, con temperaturas de unos 10 °C, ya que no resiste el frío más allá de -2 °C.
- HUMEDAD. El sustrato ha de estar bien húmedo y drenado, de modo que podemos pulverizar la superficie a menudo.

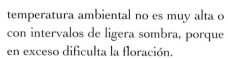

La reina o dama de la noche destaca por la aromática fragancia de sus flores nocturnas.

CUIDADOS

- Plantación, trasplante y poda. La dama de la noche tolera casi todos los tipos de suelo. La poda se realiza cortando el ramaje a primeros de verano, cuando haya florecido.
- Riego. Añadir agua a la maceta en días alternos, aunque si se caen las hojas habrá que aumentar el riego con cuidado, porque el exceso causa manchas en el follaje.

- Nutrición y suplementos. Cada cierto tiempo agradecerá el abonado, ya sea líquido o de liberación lenta, así como quelatos de hierro para reverdecerla.

| Pleno sol | Riego frecuente | -2 a 10 °C |

CHLOROPHYTUM COMOSUM

CINTA

Originaria de África del Sur, es una de las plantas de interior más extendidas por los pocos cuidados que requiere. Es una planta herbácea, perenne, de la que brotan varios estolones de hasta 60 cm de longitud, de los que nacen las cintas u hojas de hasta 25 cm de largo cada una. Éstas son de color verde con una zona central blanquecina, aunque los híbridos sucesivos sobre esta especie hacen que la coloración varíe.

La cinta es propensa a sufrir plagas de pulgones, cochinilla y araña roja; esta última pone gris y sin brillo el follaje.

Ha de colocarse cerca de una ventana y habitualmente se cuelga de cestos o macetas. En algunos casos se colocan en esquinas de muebles y estanterías para decorar, con sus brotes, todo un lateral, o hacer composiciones junto a otras plantas colgantes.

La limpieza de sus hojas ha de realizarse con un paño húmedo, el uso de abrillantadores o cualquier otro producto químico puede ser perjudicial para la planta.

Pocas plantas son tan generosas como las cintas. Al crear con profusión gran número de hijuelos en las puntas que sobresalen de la planta primaria, permiten al jardinero, al separarlos de la madre y plantarlos según las indicaciones que se han dado, poder generar gran cantidad de ejemplares con suma facilidad.

NECESIDADES

- LUZ. Lo mejor es la semisombra, en una posición en que reciba algo de sol pero no los rayos del mediodía, y unas horas de oscuridad no excesiva.
- TEMPERATURA. Posee una gran resistencia al frío, y puede soportar heladas de hasta -2 °C siempre que no sean muy largas, aunque su desarrollo perfecto se da entre 12 y 25 °C.
- HUMEDAD. Resulta conveniente pulverizar sus hojas con agua tibia una vez cada siete días, frecuencia que se aumentará a dos o tres veces por semana durante el verano.

CUIDADOS

- PLANTACIÓN, TRASPLANTE Y PODA. Sólo es preciso trasplantar cuando las raíces se salgan por debajo de la maceta, pero como suele crecer mucho, en la práctica se cambia de tiesto unas dos veces al año. La multiplicación es por los hijuelos que salen en los tallos, los cuales se plantan en arena de río y sustrato universal (proporción 1-4).
- RIEGO. En verano se regará cada dos o tres días, mientras que en invierno una vez por semana es suficiente.
- NUTRICIÓN Y SUPLEMENTOS. Para lograr una planta recia y brillante, añadir fertilizante líquido al agua de regar cada dos semanas en primavera y verano.

Semisombra	Riego medio	12-25 °C

HEDERA HELIX

HIEDRA

Existen infinidad de variedades de hiedra, pero para su uso en interiores la variedad más extendida y que aquí se trata es la de hoja pequeña. En el mercado se encuentran gran número de especies, que básicamente se dividen entre las de follaje totalmente verde y las de hojas amari-

Originaria de Europa está muy extendida también por Asia y África.

Aunque resulte curioso, la hiedra tiene propiedades medicinales y usos en centros de belleza, ya que sirve, entre otras cosas, para eliminar la piel de naranja.

llas o blancas. Es un arbusto trepador de hoja perenne que está provisto de raíces aéreas autoadherentes que le proporcionan su gran capacidad de agarre en todo tipo de superficies. Las hojas son persistentes, de aspecto coriáceo, con bordes enteros, de color verde intenso, siendo las de las ramas fértiles del tipo ovado romboidal, y las de las ramas estériles triangulares y jaspeadas.

Sus flores, insignificantes, se encuentran reunidas en pequeñas umbelas. Los frutos son bayas amarillentas que al madurar se tornan negras. Esta planta tiene tan larga vida que aguanta muchas veces más que su soporte.

NECESIDADES

- LUZ. Se puede situar casi en cualquier estancia porque se adapta tanto al sol como a la escasez de luz, aunque si es de la variedad de hojas variegadas éstas

pueden ponerse completamente verdes en lugares oscuros. Por otra parte, el exceso de sol puede decolorar la planta.
- TEMPERATURA. Pese a que resiste un amplio abanico de temperaturas, las idóneas son frescas, de 14 a 18 ºC y nunca al lado de un calefactor.
- HUMEDAD. En verano se debe vaporizar el follaje cada dos días, así como en invierno si en el cuarto hay calefacción. Otra opción es situar la planta sobre un plato con guijarros mojados.

CUIDADOS

- PLANTACIÓN, TRASPLANTE Y PODA. Únicamente cuando la planta tenga más de dos años se cambiará a una maceta mayor, operación que debe hacerse siempre en primavera. Otra opción es cambiar la superficie del sustrato por otro más fresco. Por lo que se refiere a la poda, se recortarán las puntas una o dos veces al año a fi-

Los frutos de algunas variedades son tóxicos, la ingesta de tan sólo dos frutos en niños acarrea intoxicación grave.

nales de la época estival. La multiplicación se realiza tomando de los extremos hijuelos de 10 a 15 cm y plantándolos en turba húmeda, que se mantendrá a 20 °C y con vaporización frecuente. También se puede reproducir por acodo, apoyando los tallos en una maceta al lado de la planta madre, cortándolos cuando enraícen bien.

- RIEGO. Será de dos veces a la semana en verano y de una en invierno dejando secar la capa superior entre riegos. El exceso de agua ennegrece las hojas.
- NUTRICIÓN Y SUPLEMENTOS. En primavera y verano se añaden barritas fertilizantes o abono líquido cada dos semanas.

| Semisombra | Riego moderado | 14-18 °C |

PASSIFLORA CAERULEA

PASIONARIA

Conocida asimismo por flor de la pasión o pasionaria azul, pertenece a la familia de las pasifloráceas y es originaria de Brasil y Perú. Por lo que se refiere a la etimología, su nombre proviene del latín: *passio*, que significa pasión y *floris*, cuya acepción es flor, todo ello por la semejanza de la planta con los elementos de la Pasión de Cristo, es decir, la corona de espinas, los clavos, etc. Se trata de un arbusto trepador lleno de sarmientos, de cuyas hojas nacen los zarcillos por los que trepa. Es de un crecimiento espectacularmente rápido. El follaje se compone de hojas persistentes que aparecen alternadamente, pecioladas y con el limbo dividido en cinco lóbulos, que son oblongos. La floración, de verano a otoño, adquiere tonalidades que van del azul claro al morado y es muy aromática. Asimismo produce frutos naranjas de forma oval, comestibles pero insípidos.

La variedad *constance elliot* posee flores blancas y la glaciar las da blanco-azuladas.

Esta trepadora se emplea principalmente para tapizar balaustradas, arcos, pérgolas o verjas, sustentada en un soporte pegado a la pared. Debemos vigilar las cochinillas, pulgones y ácaros.

NECESIDADES
- LUZ. La passiflora necesita lugares muy luminosos incluso a pleno sol, como un muro o valla que reciba los rayos directamente.

La modalidad *edulis* da el fruto de la pasión que es comestible y del que se obtiene maracuyá.

- TEMPERATURA. Conocida como planta rústica, es capaz de rebrotar tras condiciones extremas y puede soportar hasta de -5 a -10 °C, siempre que esté resguardada de heladas o viento directos.
- HUMEDAD. El ambiente debe ser fresco y hay que evitar situarla junto a una calefacción que la reseque.

CUIDADOS

- PLANTACIÓN, TRASPLANTE Y PODA. Le conviene a la pasionaria un suelo rico y fértil. Los ejemplares viejos no se trasplantan ni podan, sino que se sustituyen por otros más jóvenes, podando solamente tras la floración, cortando los tallos dos o tres yemas. Se multiplica en primavera por semillas o esquejes con tres hojas, plantados en turba y arena y cubiertos con plástico. La temperatura se mantendrá de 18 a 22 °C.
- RIEGO. Añadir agua frecuentemente y de forma abundante en tiempo de crecimiento y floración, reduciendo el riego en invierno, incluso suspendiéndolo si el frío es excesivo o hiela.
- NUTRICIÓN Y SUPLEMENTOS. El abono debe ser moderado para evitar que las hojas crezcan en exceso y la floración resulte parca.

| Pleno sol o luz abundante | Riego abundante | -10-22 °C |

PYROSTEGIA VENUSTA

FLOR DE FUEGO

También conocida vulgarmente como *pyrostegia ignea*, bignonia de invierno, liana de llama o trompetero naranja, pertenece a la familia de las bignoniáceas y es originaria de países sudamericanos: Brasil, Bolivia, Paraguay y Argentina. No es de uso muy común.

Sus bellas flores anaranjadas tienen una cápsula muy larga que se estrecha en los extremos.

Muy usada en exteriores para cubrir amplias paredes y vallas, su uso en interior se ha extendido para dar a los hogares más colorido y cercanía con la naturaleza.

De hojas persistentes y trifoliadas, es una enredadera trepadora de tallos leñosos de unos 4 a 6 m. El follaje es ovalado o bien oblongo-lanceolado, con textura de papiro y haz glabro, mientras que el envés es velloso.

Del cáliz denticulado nace la profusa floración, naranja como indican los nombres de la planta, con el tubo de la corola de 4 a 6 cm y lóbulos de aproximadamente un centímetro, aunque la cápsula puede alcanzar un largo de hasta 25 cm. Las flores surgen de finales de otoño a finales de invierno, dato curioso ya que casi todas las trepadoras al llegar el frío no florecen.

NECESIDADES

- LUZ. Tolera tanto la luz directa, por ejemplo en un jardín o pared al sol, como la semisombra en espacios cercanos a árboles.
- TEMPERATURA. Debe ser templada, ya que la *pyrostegia* es sensible a las heladas, siendo la situación más adecuada en jardines protegidos del viento sudoeste.
- HUMEDAD. No hace falta un alto grado de humedad ambiental, pues soporta cómodamente ambientes ligeramente secos.

CUIDADOS

- PLANTACIÓN, TRASPLANTE Y PODA. Hay que plantarla en un sustrato ordinario suelto y ácido, pero bien profundo y acolchado. Se reproduce por acodos, semillas o esquejes que se toman de la planta madre. Al comienzo del invierno, se rocían con polvo de enraizar y se implantan en un sustrato como el indicado.
- RIEGO. Una vez plantada hay que añadir un poco de agua al suelo, pero no es preciso regar frecuentemente.
- NUTRICIÓN Y SUPLEMENTOS. El quelato de hierro resulta vital para mantener el color de las hojas. Ha de aplicarse según las instrucciones del fabricante.

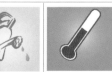

| Pleno sol | Riego escaso | 0-25 °C |

MARANTÁCEAS

Llamadas también plantas de la oración, reciben su nombre en honor al botánico italiano del siglo XVI Bartolomeo Maranti y son muy empleadas como plantas de interior de carácter ornamental por su gran variedad y el vistoso colorido de sus hojas ovaladas. Son perennes, de hojas coloreadas sostenidas por vainas, mientras que las flores son mínimas y de pocos pétalos. No suelen medir más de 30 cm. Provienen de América del Sur y otras regiones tropicales del mundo, a excepción de Australia, por lo que requieren temperaturas mínimas de 14 a 18 °C, admitiendo un máximo de 28 a 30°C. En este caso habría que aumentar la humedad pulverizando las hojas, sobre todo en verano, o poniendo la maceta sobre turba húmeda o un recipiente con agua preferiblemente tibia para que la absorba desde abajo.

Se trata de plantas muy sensibles a corrientes de aire y cambios de lugar, así como a la luz directa, así que no deben colocarse en ventanas, sino procurar que estén siempre en semisombra. Se reproducen en primavera por división de raíces o matas que fructificarán en un año, aproximadamente, si han estado en una temperatura cálida y húmeda. No obstante, pueden podarse las ramas que sobresalgan.

Las hojas de esta familia pueden adoptar distintas formas: lanceoladas, redondeadas o incluso casi rectangulares como éstas.

CALATHEA

CALATEA

Nativa de Brasil, es una planta bastante longeva, incluso en interior, con una vida de dos a cinco años, lo que la hace ideal para decorar el hogar, aunque requiere ciertos cuidados porque es algo delicada. Su aspecto habitual es el de un arbusto de unos 50 cm y de crecimiento lento que se parece a las marantas, aunque la calatea es más erguida. Si bien hay varias especies, sólo la *calathea crocata* posee atractivas flores blancas que aparecen de primavera a verano, mide de 50 a 100 cm y la inflorescencia está en un largo tallo (escapo) que sobresale, con brácteas y corola naranjas. Las demás especies destacan por sus decorativas hojas ovaladas de color verde oscuro por arriba y burdeos en la parte inferior, como la *calathea makoyana,* cuyo nombre deriva del vocablo *kalanthion,* cesto.

Makoyana es una *calatea* sorprendente por los caprichosos pero naturales dibujos de su follaje y las variadas tonalidades que adopta.

NECESIDADES

- Luz. Puede vivir con poca luz en semisombra y, aunque le dé, hay que evitar el sol directo, que produciría quemaduras o haría palidecer el follaje.
- Temperatura. De 23 a 28 °C, sin sobrepasar los 30 °C, y de 15 a 18 °C en invierno, vigilando las corrientes de aire frío y los cambios bruscos de temperatura, a los que es muy sensible.
- Humedad. Necesita humedad elevada, por lo que conviene vaporizar dos veces a la semana en verano y una en invierno, o bien colocar la calatea sobre guijarros mojados o emplear un humidificador. La sequedad propicia la aparición de la araña roja y que las hojas se caigan.

CUIDADOS

- Plantación, transplante y poda. Una vez plantada y colocada sobre un mantillo de turba, arena y hojas, mejor en macetas de poco fondo (si no se tienen se pueden rellenar con grava, ladrillos o pedazos de tiesto) y más anchas que altas. Hay que intentar mantenerla siempre en el mismo sitio y no moverla, porque es sensible a cambios. Eso sí, en primavera o verano de cada año trasplantar y añadir tierra nueva. Se multiplica por división de matas aprovechando el trasplante o por esquejes. No hace falta podar, sólo quitar las hojas que sobresalgan demasiado.
- Riego. En verano ha de efectuarse de dos a tres veces semanales y en in-

La modalidad *zebrina* es muy ornamental y original por sus hojas que, como indica su nombre, forman rayas similares a las de la piel de las cebras.

La variedad *crocata* es de las más hermosas, con hojas rizadas verdes en la capa superior y burdeos en la inferior, así como con vivas brácteas naranjas en forma de tulipa.

vierno es suficiente una vez a la semana. Lo idóneo es hacerlo con agua no calcárea, mineral o de lluvia a temperatura ambiental. La falta de riego riza los bordes de las hojas o las hace amarillear.

• NUTRICIÓN Y SUPLEMENTOS. Mientras esté en fase de crecimiento es bueno abonar y diluir en agua abono líquido, que se aportará cada dos semanas. Cuando se

riegue con agua del grifo, aportar unas gotas de vinagre o zumo de limón para que se haga más ácida.

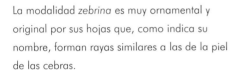

Semisombra	Riego moderado	15-30 °C

MARANTA ARUNDINACEA

PLANTA DE LA OBEDIENCIA

También conocida como *arrowroot* (raíz de fecha) o planta de la obediencia, es una planta perenne que se encuentra en lugares de selva tropical y que no debe

La *maranta arundinacea* tiene hojas lanceoladas con pequeñas rayas o estrías.

La *maranta arundinacea* tiene hojas lanceoladas con pequeñas rayas o estrías.

confundirse con la *arrowhead* (cabeza de flecha) o sagitaria que se usa como vegetal comestible.

Originaria de América tropical, donde según la arqueología existe desde hace 7.000 años, se cultiva especialmente en Florida, Jamaica, St. Vincent, Australia, sudeste asiático y Sudáfrica. Como dato histórico curioso, mencionar que Napoleón parecía opinar que el gusto de los británicos por esta planta se debía a que mantenía sus colonias.

Hasta un metro de alto puede alcanzar esta planta erecta que se caracteriza por estar muy ramificada, con hojas basales verdes o rayadas y lanceoladas, con flores blancas y rizomas de los que se obtiene el arrurruz de Barbados o la harina de sagú, fécula ingrediente de alimentos como papillas y tortas, aunque estos rizomas en algunos lugares se consumen simplemente hervidos o asados. En el pasado, a menudo se adulteraba con almidón de patata; también es ingrediente del té y de platos de cocina coreana. Se empleaba también en la confección de papel.

NECESIDADES
- LUZ. Buena pero difuminada, no directa ni excesiva, que decoloraría las hojas.
- TEMPERATURA. En torno a los 20 °C, con una mínima 16 °C especialmente en invierno.
- HUMEDAD. Hace falta bastante humedad, por lo que es conveniente tenerlas sobre un plato con sustrato mojado.

CUIDADOS
- PLANTACIÓN, TRASPLANTE Y PODA. El sustrato ha de ser ligero y poroso, como una mezcla de tierra de hojas y turba. La planta adulta debe transplantarse en primavera cada uno o dos años.
- RIEGO. Moderado y por abajo.
- NUTRICIÓN Y SUPLEMENTOS. Desde principio de primavera hasta final de verano se debe añadir abono líquido, una vez cada dos semanas, al agua de riego. Si las hojas perdieran color, se aplicará una cura con abono foliar.

| Luz difuminada | Riego moderado | 16-20 °C |

MARANTA LEUCONEURA

MARANTA LEUCONEURA

Al igual que la especie anterior, esta planta brasileña de unos 20 cm está muy ramificada, con tallos semierectos y rizomas. Las hojas son bastante horizontales
y oblongas, normalmente verdes con zonas grises o marrones y nervios en rojo,
morado o plata. En cuanto a la inflorescencia, aparece una única espiga con dos brácteas y flores blancas o violáceas.

La *maranta*
leuconeura puede muy bien
cultivarse en maceta, de donde emergerán sus
graciosas hojas con manchas marrones.
La falta de humedad hará que las hojas se
resequen en los bordes.

NECESIDADES

- LUZ. Luminosidad media y orientada al
  norte u oriente, aunque una mayor luz
  contribuye a un colorido más intenso
  de las hojas, pero sin llegar a impactar
  directamente sobre ellas.
- TEMPERATURA. Entre 18 y 27 °C, sin bajar de 10 °C. No resiste el frío, las heladas
  y los cambios de temperatura bruscos.
- HUMEDAD. La humedad ambiental relativa debe ser de un 25% constante. Se
  puede pulverizar para mantener la
  planta húmeda y colocarla sobre guijarros mojados.

CUIDADOS

- PLANTACIÓN,
  TRASPLANTE Y
  PODA. Para que
  las hojas puedan
  expandirse se
  debe plantar en
  un macetero de
  más anchura que
  profundidad, que ha
  de cambiarse cada dos

años, con tierra de jardín y litre, turba,
humus, arena o estiércol descompuesto
de pH entre 4 y 5,5. Se pueden podar
las ramas que sobresalgan, así como
cortar las hojas marchitas o secas. La
multiplicación es en primavera, por división de rizomas o esquejes apicales
con nudo, aprovechando el trasplante.

- RIEGO. Abundante en verano y moderado en invierno, con agua que no esté fría.
- NUTRICIÓN Y SUPLEMENTOS. En primavera, cada quince o veinte días, usar
  abono líquido y, hasta el verano, conviene aportar bimensualmente abono
  foliar. Se pueden usar fumigadores
  contra la araña roja.

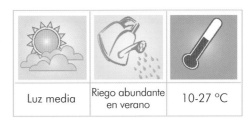

| Luz media | Riego abundante en verano | 10-27 °C |

STROMANTHE SANGUINEA

STROMANTE

Originaria de Brasil, puede medir hasta 1,5 m de altura y es muy hermosa, en especial por su follaje, compuesto por hojas verdes con la capa inferior rojiza. Su nombre proviene del griego: *stroma* (cama) y *anthos* (flor), y, en efecto, sus flores rojas están dispuestas como en un lecho.

Las tribus indígenas del Amazonas cortan la parte rojiza de las hojas de los mejores ejemplares selváticos y construyen con ellas las bandejas en las que se depositan los instrumentos sagrados de las ceremonias de iniciación de los nuevos jóvenes guerreros. Es habitual de la decoración de interiores. Puede colocarse en portales o entradas de casas, edificios u oficinas, orientadas de tal forma que el sol únicamente penetre en ellos durante las primeras horas de la mañana, o también se pueden situar en pasillos pintados de vivos colores con luz difusa.

Su diversidad de colores y matices decoran de manera excelente zonas tenuemente iluminadas de hogares y oficinas.

NECESIDADES
- LUZ. Semisombra, hay que evitar el sol directo, aunque por la mañana y en pequeñas dosis puede soportarlo.
- TEMPERATURA. Entre 15 y 25 °C, nunca por debajo de 15 °C y evitando cambios bruscos de tempratura que estropean el follaje.
- HUMEDAD. El lugar ideal de colocación es una estancia fresca y húmeda, pues la sequedad pardea las hojas, que deben vaporizarse a menudo.

CUIDADOS
- PLANTACIÓN, TRANSPLANTE Y PODA. Transplantar cada dos o tres años. Se reproduce por división.
- RIEGO. Se debe mantener húmedo el sustrato en todo momento y regar frecuentemente, pero en invierno, cuando baje la temperatura, entre los riegos se deja secar la capa superior. El agua no deberá ser calcárea, preferentemente se usará agua hervida o de lluvia.
- NUTRICIÓN Y SUPLEMENTOS. Aportar mensualmente fertilizante al agua de regar, y si no se dispone de agua sin cal para el riego se le añade unas gotas de vinagre o de zumo de limón.

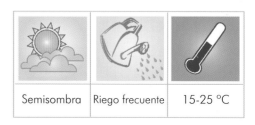

| Semisombra | Riego frecuente | 15-25 °C |

ORQUÍDEAS

Teofrasto, el discípulo de Aristóteles que escribió *La historia de las plantas* llamó a estas plantas *orchis*, que viene de una palabra griega que significa testículo, debido al parecido de algunos pseudobulbos de estas plantas con el órgano reproductor de algunos mamíferos. Las orquídeas comprenden más de 25.000 especies y más del doble de híbridos, creados por el hombre para la jardinería. Es una especie prácticamente global que se extiende por gran cantidad de países, aunque son las zonas tropicales de nuestro planeta donde crecen mayor número de ellas de forma espontánea.

La orquídea ya era codiciada en la antigua Grecia, donde se le atribuían propiedades afrodisíacas. En China, se han hallado escritos de más de 1.500 años de antigüedad en los que se describen las diversas formas de cultivo de algunas de las variedades más admiradas. En Europa, se introdujo mucho más tardíamente: no fue hasta el siglo XIX cuando realmente se popularizó entre las clases altas, y se produjo una verdadera fiebre por encontrar, poseer y enseñar la orquídea más exótica, con más colores o de mayor belleza vista hasta ese momento. Esta moda lanzó a numerosos aventureros a adentrarse en las regiones selváticas americanas para encontrar nuevas especies de orquídeas; llegó hasta tal punto esta búsqueda que algunas especies se extinguieron y no han llegado hasta nuestros días.

Desde el punto de vista botánico nos encontramos con plantas epifitas, que viven sobre otra planta pero sin alimentarse de ella, rizomatosas y en ocasiones con raíces tuberosas. Sus flores, habitualmente, son hermafroditas. En la gran mayoría de los géneros, las flores están formadas por tres elementos externos llamados sépalos, dos laterales y uno dorsal, y tres elementos in-

Son plantas muy especializadas. Su capacidad para adaptarse es notable, ya que pueden crecer tanto a nivel del mar como en los páramos elevados.

ternos, dos pétalos y un labio o lábelo de color más intenso.

En algunas especies, los sépalos laterales se encuentran fusionados en un solo elemento. Las hojas se presentan simples y enteras, generalmente alternas o basales, con vaina.

CATTLEYA

CATLEYA

Dedicada al mayor coleccionista de orquídeas del siglo XIX, W. Cattley, es una de las orquidáceas más cultivada. Originaria de Perú, América Central y Brasil, es una planta apífita con un tallo enterrado del que surge un pseudobulbo con una o dos hojas carnosas insertadas en él. Las inflorescencias, normalmente individuales, se presentan en el extremo del pseudobulbo en todo tipo de colores, dependiendo del híbrido que finalmente tengamos entre las manos.

Gran parte de los ejemplares de catleya desprende agradables aromas de los que se extraen esencias usadas para la fabricación de perfumes.

NECESIDADES

• LUZ. Es indispensable colocarla en una habitación muy luminosa, pero los rayos del sol nunca deben tocar las flores.

La floración se produce durante los seis meses más cálidos del año.

- TEMPERATURA. Proviene de climas cálidos. Es indispensable para su desarrollo y supervivencia que la temperatura, entre 15 y 25 °C, sea estable y no haya cambios bruscos, que conseguirían eliminar las flores de la planta.
- HUMEDAD. Juega un factor determinante a la hora de cultivar orquídeas en interiores. Para esta magnífica flor se ha de conseguir un lugar con una alta humedad ambiental, o bien por medio de su cultivo en terrarios y burbujas de vidrio, o bien colocando un humidificador en la misma sala que la planta, nunca junto a ella.

CUIDADOS

- PLANTACIÓN, TRASPLANTE Y PODA. La multiplicación se consigue por división del tallo. La catleya, tras la floración, tiene un período de reposo en el que es fundamental que se vigile el pseudobulbo; si se detecta un rápido adelgazamiento o comienza a arrugarse es sinónimo de que la planta necesita más agua. Cada dos años ha de realizarse el trasplante de maceta, que tiene que tener un sustrato en el que un tercio esté compuesto por raíces de helechos, que aportan unos hongos fundamentales para la absorción de minerales, y fibra de esfagno a partes iguales.
- RIEGO. Como otras muchas plantas, tiene un calendario de riego muy estricto. Durante el período de reposo sólo se regará cuando el sustrato se haya secado, y el método de riego en este período consiste en sumergir el tiesto en agua tibia un par de minutos. En el tiempo de desarrollo se regará la planta cada tres días con pequeñas dosis de agua sin cal.
- NUTRICIÓN Y SUPLEMENTOS. Resulta muy acertado aplicar fertilizante líquido con el agua de riego un mes antes del comienzo del invierno, para que la planta disponga de mayor cantidad de reservas para el período de reposo.

| Luz difusa | Riego moderado | 15-25 °C |

CYMBIDIUM

Cynbidium

Originaria de las zonas montañosas subtropicales de Asia, su descubridor fue Olof Swartz, en 1799. Su nombre deriva del griego *kumbos*, que significa agujero, por la forma que adopta el labio de la planta. Comprenden un género completo de la llamada orquídea barco, y hay más de medio centenar. Desde el punto de vista de las plantas de interior existen dos grupos de híbridos de *cymbidium*: miniatura y normales. Las miniatura son todo un conjunto de nuevas variedades creadas por el hombre que mejoran todas y cada una de las características de la planta para adaptarla a cultivos intensivos para la venta de sus flores; y para mejorar también factores como el tiempo de duración de la floración, fragancias, variedad de color, necesidades de agua y luz… que hagan más fácil su cuidado como planta de interior.

Las plantas de *cymbidium* se desarrollan hasta una altura de 70 cm, aunque el racimo se eleva hasta 20 cm más. Éste se desarrolla siempre desde el pseudobulbo más reciente. Las flores, de hasta 10 cm de diámetro y con una textura parecida a la cera, alcanzan la docena en cada racimo. Los colores principales en los que se presentan son verde, blanco, amarillo, crema… estando disponible casi cualquier combinación imaginable. Finalmente, sus ocho hojas, largas y estrechas, surgen de cada pseudobulbo.

Uno de los hechos que más aprecian los aficionados a la orquicultura en climas templados es el hecho de que sus flores nacen en el invierno. Florecen una vez al año, desde invierno a primavera, durante ocho o doce semanas cuando pocas otras orquídeas florecen.

NECESIDADES

- Luz. Ha de recibir intensa luminosidad pero siempre filtrada, nunca ha de exponerse directamente a los rayos de sol. La estancia ha de recibir luz clara durante todo el día.
- Temperatura. El desarrollo perfecto se da entre los 17 y los 21 °C, de esta forma todas las flores brotan y la planta crece con fuerza y esplendor. Puede resistir desde los 12 hasta los 30 °C, siempre que las variaciones entre día y noche no sean superiores a 4 o 5 °C.
- Humedad. Necesita un alto índice de humedad ambiental. Si el clima en el que nos encontramos no lo aporta de manera natural, hay que elevar este nivel con humidificadores o con pulverizaciones diarias de las hojas, nunca de las flores.

CUIDADOS

- Plantación, trasplante y poda. El

Fue la primera de las orquídeas que se cultivó en interior gracias a su fácil adaptabilidad. Estas plantas han cautivado a diversas civilizaciones: en China hace miles de años que se cultiva. En Europa se popularizó durante la era victoriana.

trasplante se realiza cada tres o cuatro años, tras la floración. El nuevo sustrato debe ser variado, pero siempre ha de contener un tercio de corteza y musgo al 50%, los otros dos tercios se dividen a partes iguales entre turba, espuma de poliuretano, tierra de jardín y vermiculita. Es imprescindible construir un buen drenaje y trasplantar la planta al más mínimo indicio de estancamiento del agua. La multiplicación se realiza sobre

plantas que han estado varios años en cultivo; se toman al menos tres pseudobulbos y se implantan en macetas anchas. Nunca ha de dejarse en la planta madre menos de tres pseudobulbos.

- RIEGO. Se aplicarán riegos copiosos, cada tres días durante el semestre más cálido y cada semana el resto del año.
- NUTRICIÓN Y SUPLEMENTOS. Tras la floración se debe aplicar fertilizante líquido durante un trimestre, ha de ser específico para orquídeas.

| Luz difusa | Riego abundante | 12-30 °C |

DENDROBIUM

DENDOBIUN

El difícilmente pronunciable nombre que tienen procede de la palabra griega *dendron*, que significa dedos, por la naturaleza epifita de la planta, que vive encima de

El *dendrobium nobile* tiene una gran demanda, que desde la especie original de los Himalayas se ha diversificado en una amplia gama de colores.

Habitualmente la planta se desarrolla muy
rápidamente durante el verano, para tomar un
largo descanso en el invierno. En primavera
nuevos brotes se forman desde la base de la
planta principal y nuevos capullos florecen.

otra planta aunque sin alimentarse de
ésta. Es el segundo género más numeroso
de orquídeas, con más de un millar de especies. Todas ellas, en sus lugares de origen, principalmente el sudeste asiático,
son de gran tamaño, y no ha sido hasta
hace unas décadas cuando la acción del
hombre ha conseguido híbridos de menor
tamaño y mucho más indicados para su
cultivo en interiores. La *dendrobium* desarrolla un tallo de más de 30 cm de longitud que tiene su base en un pseudobulbo
donde se encuentran las reservas alimen-
ticias de la planta. Este tallo está recubierto de una densa capa de pelo blanco.
Sus hojas son cortas y ovaladas y se pre-

sentan alternas en torno al tallo. Las flores están agrupadas en ramilletes de una
o dos flores terminales de diversos tamaños y colores, según la especie o híbrido
al que pertenecen.

NECESIDADES

- LUZ. Durante el invierno ha de tener
  una luz artificial que le ayude a llegar al
  mínimo de seis horas diarias necesario
  para su supervivencia. El resto del año
  ha de situarse en una estancia muy luminosa, en la que el sol pueda incidir sobre
  la planta durante las dos o tres primeras
  horas del día o en el último tramo de éste.
- TEMPERATURA. Es una de las variedades más resistentes a temperaturas
  frías, puede sobrevivir aun a 5 ºC. El
  rango perfecto, sin embargo, se encuentra entre los 15 y los 25 ºC.
- HUMEDAD. El índice de humedad relativa del ambiente no debe ser inferior al
  60%, sus hojas se deben pulverizar a
  diario, durante el verano, con agua descalcificada y baja en cloro.

CUIDADOS

- PLANTACIÓN, TRASPLANTE Y PODA. La
  multiplicación más efectiva en el hogar
  se hace tomando los keikis, las plántulas
  que se desarrollan sobre los pseudobulbos al nivel de las antiguas yemas, y
  plantándolas en una nueva maceta con
  perlita, turba y corteza de pino. El trasplante se realizará cada tres años, a una
  maceta estrecha o una cesta colgada,
  siempre después del período invernal o
  de descanso.
- RIEGO. En el período de desarrollo ha
  de aplicarse riego diario; que será moderado si se está pulverizando la planta

para aumentar el nivel de humedad. En el invierno un único y copioso riego semanal será suficiente.

- NUTRICIÓN Y SUPLEMENTOS. En primavera y verano, añadir cada quince días un abono líquido para orquídeas.

Luz difusa	Riego abundante	15-25 °C

MILTONIA

MILTONIA

Este género, que únicamente tiene nueve especies de orquídeas, es originario de Brasil, Colombia y pequeñas regiones de América del Sur. Descrito por primera vez por John Lindley en 1837, le dio el nombre de miltonia en honor del conde F.W. Milton. Son especies epifitas, sin período de reposo. Los pseudobulbos son piriformes, es decir, con forma de pera. Sus hojas son perennes y de una longitud variable entre 15 y 30 cm. Las flores aparecen tanto solitarias como en grupos de seis a diez ejemplares, los sépalos y los pétalos tienen el mismo tamaño, el diámetro ronda los 6 cm. En ocasiones toda la inflorescencia no presenta ningún tipo de arruga, se encuentra completamente plana, lo que la diferencia de muchas de las orquídeas más conocidas. Todo este

Es una de las orquídeas más longevas, puede vivir hasta cinco años en interiores y casi diez en invernaderos.

conjunto brota de un tallo de hasta 50 cm de longitud que nace de los pseudobulbos más jóvenes.

NECESIDADES

- LUZ. Son plantas que, acostumbradas a vivir bajo la sombra de altos árboles selváticos, necesitan una estancia con luz difusa incluso las variedades colombianas necesitan semisombra. El efecto de los rayos solares sobre sus hojas es devastador, en apenas unos días sus hojas y pétalos se enrojecen y caen.
- TEMPERATURA. Proceden de regiones cálidas, en zonas más meridionales es difícil mantener estable y cálida la tem-

peratura. Necesita que el termómetro oscile entre los 18 y los 23 °C, siendo letal cualquier tipo de cambio brusco en el mercurio.

- HUMEDAD. Al igual que la temperatura, es uno de los principales obstáculos para su cultivo por jardineros principiantes. Necesita una humedad relativa en el ambiente superior al 75%, siendo ideal el 80%. En numerosas latitudes esta humedad sólo se consigue durante todo el año por medio de humidificadores artificiales y pulverizaciones diarias de las hojas.

CUIDADOS

- PLANTACIÓN, TRASPLANTE Y PODA. Esta orquídea puede colocarse sobre un trozo de corteza con algo de turba y dejar que se desarrolle libremente. Pero para una mayor comodidad y para asegurarse el éxito del cultivo es mejor plantarla en una cesta o una maceta de madera cuyo sustrato esté formado por corteza de pino, turba, carbón vegetal y poliestireno expan-

dido a partes iguales. En esta planta la multiplicación se consigue tomando pseudobulbos; de esta forma, y debido al alto número que produce, no sólo se consiguen nuevos ejemplares, sino que se realiza una función de limpieza de la maceta y se evita que su exceso asfixie la planta.

- RIEGO. Será el mismo durante todo el año, cada tres o cuatro días. Una vez al mes se regará de manera copiosa para limpiar las raíces, y hasta que éstas no se hayan secado no se aplicará el siguiente riego diario.

- NUTRICIÓN Y SUPLEMENTOS. Se añadirá fertilizante líquido al agua de riego una vez cada quince días durante la estación cálida, y una vez al mes el resto del año.

| Semisombra | Riego moderado | 18-23 °C |

La variedad *Jaime Ono* tiene unas preciosas flores con tacto aterciopelado de color burdeos y el labio con motas rojizas.

PAPHIOPEDILUM

Zapatito de Venus

Con más de setenta especies de este género originario del sudeste asiático, es una de las plantas con nombre más curioso que se conocen. La etimología viene del vocablo *paphi*, uno de los nombres con los que se conoce a la diosa Venus, y de *pedilon*, que se tradujo como sandalia o zapato; este nombre se debe a la forma de saquito que tiene el labelo de la flor, que junto a un sépalo prominente componen la característica morfología de la planta.

La gran parte de las especies son terrestres, aunque algunas también se desarrollan de manera espontánea como epifitas. Sus hojas cerosas, rígidas, de un verde brillante, brotan desde la base de la planta. Las flores, a parte de su labelo, presentan unos sépalos laterales fusionados. Los pétalos son de diferentes tamaños y formas: los laterales son cortos y redondeados, el frontal es grande. De cada tallo floral surge una única flor, y en contadas ocasiones dos.

El *paphiopedilum* es una de las orquídeas favoritas de recolectores y aficionados. La vertiente negativa de este éxito ha sido la sobreexplotación y casi extinción en algunos de sus lugares de origen.

NECESIDADES

- Luz. Está acostumbrada a vivir en penumbra, pero los ejemplares que se ponen a la venta normalmente son híbridos que necesitan algo más de luz. Es conveniente ponerlos en zonas de la casa con luz matizada por cortinas traslúcidas.
- Temperatura. No debe ser inferior a 17 °C ni superior a 28 °C. Es más flexible que otras orquídeas con los cambios de temperatura producidos entre el día y la noche.
- Humedad. Se adapta a diferentes climas y regiones. Resulta idóneo mantener la humedad del ambiente en índices cercanos al 50%. Con temperaturas superiores a 22 °C es imprescindible pulverizar sus hojas, nunca sus flores, con agua sin cal.

CUIDADOS

- Plantación, trasplante y poda. El trasplante se realizará, al menos, cada tres años. La mejor época es después de la floración. La nueva maceta ha de ser pequeña, si es posible de plástico, porque retiene más la humedad. El sustrato ha de contener corteza fina, piedra volcánica machacada, musgo y arena a partes iguales. La multiplicación se consigue tomando una mata tras la floración. Para que la planta madre cicatrice más rápido se deja de regar durante dos semanas.

El zapatito de Venus es una de las orquídeas más demandas a la hora de realizar composiciones ornamentales fijas o arreglos florales efímeros.

- RIEGO. Es una planta que requiere riegos copiosos cada cuatro días durante todo el año. No tienen pseudobulbos por lo que las raíces tienen que tener siempre disponible su cantidad necesaria de agua.
- NUTRICIÓN Y SUPLEMENTOS. Tras la floración se debe aplicar durante dos meses, junto al agua de riego, fertilizan-

te líquido en la dosis que el fabricante indique.

| Luz filtrada | Riego copioso | 17-28 °C |

PHALAENOPSIS

PHALAENOPSIS

Compuesto por más de sesenta especies distintas de orquídeas, este género es llamado el de las mariposas nocturnas. *Phalaenopsis* viene de vocablos griegos que literalmente significan parecido a las mariposas. Son nativas de Asia, y nacen espontáneamente en zonas como el Himalaya o en Taiwán.

De carácter epifito, no tienen pseudobulbos, pero en sus raíces se encuentra el velamen, o tejido muy esponjoso

La floración se da dos o tres veces cada año, el tiempo medio de duración se encuentra entre siete y diez semanas.

que suple a éstos como lugar para almacenar las reserva de agua y elementos nutrientes. Sus hojas, de color verde oscuro y ligeramente moteadas, no caen todas al mismo tiempo, de año en año conserva algunas de ellas. Las flores, que aparecen alternas en un racimo que brota de un tallo de entre las hojas, poseen tres sépalos idénticos a sus tres pétalos. Como en el resto de orquídeas, hay cientos de híbridos que consiguen tanto facilitar la tarea de cultivo como variar algunas características: color, fragancia o tamaño.

NECESIDADES

- Luz. Gusta de luz clara, necesita el contacto con el sol durante el comienzo de la mañana y el final de la tarde. El resto del día puede permanecer cerca de una ventana si hay una cortina fina para protegerla.
- TEMPERATURA. Con un abanico que va desde los 15 hasta los 35 °C, es importante saber que se puede estimular la floración si durante un mes se consigue crear una diferencia térmica entre la noche y el día de 5 °C.
- HUMEDAD. Han de vaporizarse sus hojas con agua libre de cal, al menos, dos veces por semana.

CUIDADOS

- PLANTACIÓN, TRASPLANTE Y PODA. La poda se realiza tras la caída de las flores, se recortan los tallos por la cuarta yema; de ésta brotará un pedúnculo por donde florecerá de nuevo en unos meses. La multiplicación, muy complicada por medio de semillas, se realiza por keikis, los hijuelos que la planta madre emite del tallo floral tras la floración, que se implantan durante dos semanas en macetas con turba húmeda y caliente. El sustrato para un ejemplar adulto se compone de corteza de pino, carbón vegetal, turba y poliestireno.
- RIEGO. No tolera el exceso de riego. Si bien hay que regar copiosamente cada vez, hay que esperar a que la parte superior del sustrato se seque completamente.
- NUTRICIÓN Y SUPLEMENTOS. Se debe agregar fertilizante líquido para orquídeas al agua de riego, al comienzo de la primavera y a final del verano.

| Luz difusa | Riego moderado | 15-35 °C |

PLEIONE

PLEIONE

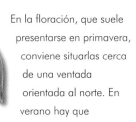

Apenas cuenta con una do-
cena de especies debido a la
gran demanda de orquíde-
as que se está producien-
do con motivo de su popu-
larización como elemento decorativo de
interiores. Se han creado un gran número
de híbridos que crecen sin cesar, por lo que
se hace imposible indicar un número exacto de especies e híbridos de pleione. Originario de Asia, sus escasos ejemplares se ex-
tienden por vastas regiones, desde la India
hasta Japón.

Su estructura es simple: posee unas
fuertes raíces que desarrollan unos pseudobulbos de los que brota un tallo verde,
alargado, de hasta 25 cm, del que, en su
punto terminal, nace una flor con sépalos
y pétalos de igual color, estos últimos ri-
beteados de una fina capa de pelo en su
limbo o borde.

NECESIDADES
- LUZ. Se debe evitar todo contacto directo con los rayos solares. Ha de colocarse
en una zona ligeramente sombreada.
- TEMPERATURA. Gusta de temperaturas
estables y cálidas. Nunca debe estar en
un lugar a menos de 10 °C, es conveniente mantener el termómetro entre
los 18 y los 25 °C.
- HUMEDAD. En el verano, por las altas
temperaturas, y durante el invierno, en
los lugares con calefacción, ha de pulverizarse sus hojas con agua tibia que
se ha dejado reposar un día.

En la floración, que suele
presentarse en primavera,
conviene situarlas cerca
de una ventada
orientada al norte. En
verano hay que
devolverla a una zona en semisombra.

CUIDADOS
- PLANTACIÓN, TRASPLANTE Y PODA. Ha
de trasplantarse anualmente tras la caída
de las flores. El sustrato ha de contener
musgo, turba, arena gruesa y corteza a
partes iguales. Para la multiplicación se
toman los vástagos de los psudobulbos
que crecen cada año, se plantan individualmente en turba húmeda y musgo y
en unos meses se trasplantan a una maceta con el sustrato de ejemplar adulto.
- RIEGO. En el semestre más cálido se re-
garán cada dos días, no dejando nunca
que el sustrato termine de secarse: serán riegos moderados. Por el contrario,
el riego durante la época más fría del
año se realiza copiosamente una vez a
la semana.
- NUTRICIÓN Y SUPLEMENTOS. Durante el
invierno, aplicar durante dos meses un
fertilizante específico para orquídeas.

| Semisombra | Riego moderado | 18-25 °C |

*Vanilla flore viridi & albo,
fructu nigrescente Plum
cum flore.*

Vanilla planofolia (orquídea), por Claude Aubriet (1665-1742). De un álbum de ocho pinturas en pergamino.
(Cortesía de la Biblioteca Lindley, Real Sociedad de Horticultura.)

PLANTAS DE FLOR

La denominación plantas de flor no responde a una clasificación botánica, sino a un concepto de jardinería que engloba aquellos vegetales cultivados específicamente por la vistosidad de sus inflorescencias. Se usa como cajón de sastre para miles de especies, que morfológicamente no tienen nada en común, pero que sí comparten la grandiosidad y fama de las flores que producen.

Esta clasificación resulta más adecuada por la dificultad que se puede encontrar a la hora de manejar cualquier volumen sobre plantas en el que las disposiciones sean excesivamente academicistas; en esta enciclopedia el lector puede encontrar las plantas de flor más reconocidas y usadas en interiores que no han aparecido en los anteriores capítulos.

La industria de la jardinería no se podría entender sin el potente mercado de las plantas de flor. Hoy en día están disponibles para la compra desde en floristerías hasta en cualquier supermercado de gran superficie.

ASTER NOVI BELGII

CIELO ESTRELLADO

Aunque originario del este y el centro de Norteamérica, es también llamado áster de Escocia. Este vegetal perenne y herbáceo de la familia de las *Asteraceae* se desarrolla rápidamente hasta alcanzar una longitud superior a los 90 cm. Sus hojas son alternas, con forma de lanza y algo aserradas en su limbo. La flor se presenta con una gran cabezuela de la que brotan los innumerables pétalos de colores tan dispares como el rosa y el azul. Se ha usado durante siglos para decorar bancales y jardines. En la actualidad se ha extendido su uso en interiores por la gran variedad de colores de sus flores y el carácter joven y fresco que otorga a cualquier rincón del hogar.

NECESIDADES

• LUZ. Muy versátil, el cielo estrellado puede estar situado en un pasillo en semisombra o en una estancia plenamente iluminada.

• TEMPERATURA. Prefiere las temperaturas frescas y secas a las húmedas y calurosas; no obstante, no tiene ningún problema para crecer en entornos con temperaturas entre los 5 y los 25 °C.

• HUMEDAD. El ambiente seco la beneficia, la humedad y el calor favorecen la aparición de plagas de hongos.

CUIDADOS

• PLANTACIÓN, TRASPLANTE Y PODA. La poda y el despunte anual se realizará al comienzo de la estación cálida; con esta acción se consigue favorecer la regeneración del área superior de la planta y aumenta el número de inflorescencias. La división se consigue por matas de plantas maduras cada tres o cuatro años.

• RIEGO. Durante todo el año se aplicarán riegos copiosos dos veces por semana. Durante el verano puede aumentarse su frecuencia a una vez cada dos días.

• NUTRICIÓN Y SUPLEMENTOS. Cada año, y en la época más fría, se abonará con un puñado de fertilizante rico en nitrógeno.

Semisombra	Riego abundante	5-25 °C

El sustrato óptimo para su desarrollo no requiere particulares exigencias, si bien es conveniente que sea ligeramente arenoso.

BEGONIA ELATIOR

BEGONIA DE FLOR

Se encuentran más de 1.500 especies en las regiones tropicales de Asia, África y América. Es una de las plantas sobre las que más ha actuado el hombre. Así, su forma, color y tipo han sido alterados durante varios siglos para producir innumerables híbridos. No obstante, cada una de las variedades mantiene las características de la zona donde se dio su origen, y se pueden determinar los cuidados necesarios de una forma más fácil. Desde el punto de vista botánico se dividen en plantas herbáceas anuales o plurianuales, herbáceas perennes y semiarbustos no lignificados. Producen, en la misma inflorescencia, las flores masculinas y las femeninas.

Se distinguen tres grupos de begonias: de flor, de tubérculo y arbustivas. El 90% de la especie que se vende en los establecimientos del ramo, la modalidad *begonia elatior*, tiene sus orígenes en los botánicos ingleses que tras realizar varios cruces la lanzaron al mercado hacia 1907. Las variedades son múltiples: flores sencillas, semidobles y dobles de floración invernal, cuyos colores oscilan entre el blanco, el amarillo, el rosado y el rojo claro y oscuro.

NECESIDADES

- LUZ. Al igual que el resto de begonias, no necesita luz solar directa. Una exposición prolongada quema las hojas de la planta.
- TEMPERATURA. Se desarrolla en temperaturas entre los 18 y los 26 °C.
- HUMEDAD. Necesita una alta humedad ambiental y en la maceta. La tierra ligera y húmeda ayuda a que la planta cree su fina red de raíces.

CUIDADOS

- PLANTACIÓN, TRASPLANTE Y PODA. Cuando el objetivo es obtener plantas de gran porte, se pinzan las flores enve-

Los híbridos de begonia se cuentan por decenas, en ocasiones se ha conseguido multiplicar los pétalos de la flor y asemejar su forma a la de una rosa de China. Las más conocidas son: *Schwabenland, Toran, Aphrodite, Ilonka, Rosaria y Elfe.*

jecidas y se deja que la planta prosiga el crecimiento. En la época de floración no es conveniente mover la planta, pues los capullos son muy delicados y pueden caerse.

- RIEGO. Debe ser semanal y por debajo. Se coloca sobre un plato o cuenco con agua tibia durante diez minutos para que la planta absorba el agua necesaria.

- NUTRICIÓN Y SUPLEMENTOS. Durante la floración puede suministrarse abono de equilibrio dos veces al mes.

Luz difusa	Riego moderado	18-26 °C

CALCEORALIA

CALCEORALIA

La llamativa *calceoralia* es más conocida como planta zapatilla, por la forma que presentan los pétalos de sus flores. Su nombre latino le fue dado en honor del botánico italiano del siglo XVI Calzolari. Nacida como híbrido por el cruce de otras especies, pertenece a la familia de las escrofulariáceas. Es una planta anual que posee hojas radicales que nacen de la raíz y crecen en forma de roseta para albergar en su centro las inflorescencias. Las flores tienen la corola pequeña y tubular, los pétalos presentan una forma irregular: los superiores muy pequeños y los inferiores con forma de vejiga y algo hinchados.

NECESIDADES

- LUZ. Ha de colocarse en un lugar luminoso, en el que no dé la luz de las horas centrales del día de manera directa, pero que pueda aportar a la planta varias horas de luz durante la mañana y la tarde.

El color de los pétalos cambia según madura la planta. Las primeras floraciones son en su mayoría amarillas; posteriormente el color burdeos aparece como pequeñas manchas hasta conseguir extenderse por los labios superior e inferior.

- TEMPERATURA. Para un correcto desarrollo de la calceoralia se ha de mantener entre los 15 y los 25 °C, aunque de manera excepcional puede tolerar que el termómetro marque registros cercanos a los 8 °C.
- HUMEDAD. Necesita de una humedad ambiental alta, pero no es conveniente

La variedad carceolaria *thyrsiflora graham*, creada como híbrido, ha conseguido desarrollar las inflorescencias en un tallo terminal que se eleva varios centímetros por encima de las hojas.

- RIEGO. Es una planta que tiene grandes necesidades de agua. Ha de regarse a diario durante la estación cálida y los riegos pueden espaciarse hasta dos veces por semana en el invierno.
- NUTRICIÓN Y SUPLEMENTOS. Es necesario aportar fertilizante líquido con el agua de riego durante el primes mes de floración. Más tarde, tras la caída de las hojas se puede añadir al sustrato una barrita fertilizante rica en hierro y magnesio para que se vaya incorporando a la tierra durante el invierno.

pulverizar sus hojas. Por ello se recomienda poner la maceta sobre un pequeño plato con agua y guijarros.

CUIDADOS

- PLANTACIÓN, TRASPLANTE Y PODA. La multiplicación se consigue durante la primavera, tomando hijuelos de la planta madre. El trasplante de maceta ha de realizarse cada dos años, aumentando el tamaño de ésta y cambiando el sustrato por uno nuevo.

Semisombra	Riego abundante	15-25 °C

CAPSICUM ANNUUM

PIMENTERA ORNAMENTAL

Planta del género *capsicum* en el que se incluyen de veinte a treinta especies. Son originarias de las zonas tropicales y subtropicales de América. Sus

Los botánicos han encontrado semillas de esta planta con una antigüedad de 7.000 años.

Cuenta la leyenda que Cristóbal Colón la introdujo en Europa al traerla como regalo a los Reyes Católicos. Hoy, su cultivo está muy extendido y de una de sus variedades comestibles se extrae el pimentón.

frutos tienen como color principal el rojo, pero con múltiples tonalidades según la variedad. Igualmente pueden resultar dulces, agridulces o picantes. Son de la familia de las *Solanaceae*. La variedad ornamental no es comestible. Sus tallos son leñosos y puede alcanzar alturas de 30 a 40 cm. Es de plantación anual, muere tras la floración y posterior fructificación. Sus hojas estrechas, lanceoladas y muy nervadas se reparten a lo largo de sus enrevesados tallos. El follaje es muy espeso y de color verde intenso.

NECESIDADES

- Luz. Requiere un lugar muy luminoso. Se coloca, preferentemente, en balcones, ventanas y zonas con mucha claridad. Necesita el contacto directo con la luz solar.
- TEMPERATURA. De clima templado, agradece una temperatura constante entre los 15-20 °C. Tras la época de fructificación, si se consigue mantenerla a 18 °C, sus frutos decorarán

durante más tiempo la estancia donde se la haya colocado.

CUIDADOS

- PLANTACIÓN, TRASPLANTE Y PODA. Es una planta anual que normalmente se desecha tras la caída del fruto. Aun así, la multiplicación puede hacerse por semillas. Se plantarán al comienzo de la época cálida.
- RIEGO. Moderado, lo suficiente como para mantener el sustrato fresco, pero sin excesiva humedad.
- NUTRICIÓN Y SUPLEMENTOS. Durante el período de crecimiento, al comienzo de las estaciones cálidas, se abonará semanalmente. Suprimiendo este tratamiento una vez que los frutos hayan madurado.

| Pleno sol | Riego moderado | 15-20 °C |

CYCLAMEN PERSICUM

CICLAMEN

El ciclamen, también llamado violeta persa, es un género de plantas bulbosas de la familia de las primuláceas. Se caracteriza por la formación de tubérculos redondeados de hasta 15 cm de altura y fuertes raíces. Sus pétalos, de diverso tamaño según la variedad, se pliegan sobre sí mismos dando lugar a graciosas flores. El colorido de estos pétalos es múltiple e intenso. Es habitual cultivarlo como planta anual y desecharlo tras la floración, puesto que degenera y la flor es de peor calidad con cada nuevo brote. Pero cabe la posibilidad de dejarlo descansar durante los meses cálidos si se saca y guarda el tubérculo en un lugar fresco, seco y oscuro, hasta la siguiente temporada.

Es planta de climas templados y requiere suelos frescos de tierra ácida y humífera.

NECESIDADES
- LUZ. Buena iluminación, pero nunca de forma directa. Se coloca en pasillos muy iluminados o en los laterales de los ventanales.

- TEMPERATURA. Esta planta requiere temperaturas medias-bajas. Nunca deben de superarse los 20 °C. Es por esta razón por la que se hace difícil su cuidado en interiores durante las épocas frías, pues la calefacción y las temperaturas tan elevadas que crea resultan mortales para el ciclamen.
- HUMEDAD. Necesita de una humedad media, algo mayor si la temperatura es ligeramente alta. Para regarla se debe colocar sobre un plato o bandeja con agua y guijarros. La falta de humedad y el calor excesivo hace que su tiempo de floración, que es de dos a tres meses, se reduzca a menos de la mitad.

CUIDADOS
- PLANTACIÓN, TRASPLANTE Y PODA. Tras la caída de todas las hojas, se des-

La calefacción resulta muy perjudicial para el ciclamen, por eso es recomendable sacarlo a una terraza semicubierta en la que no dé el sol directo y la temperatura no sea inferior a los 5 °C.

entierra el bulbo y se guarda para el año siguiente. La plantación se realiza antes de terminar la estación fría, en tierra ligeramente húmeda, templada y con un sustrato de turba, musgo y arena de río a partes iguales.

- RIEGO. Nunca ha de regarse desde arriba. El riego se hará desde abajo poniendo la maceta en una bandeja o cubo con agua durante diez minutos. Requiere poca agua. Se regará dos veces por semana durante la época de crecimiento. En las estaciones cálidas, cuando reposa, bastará con regar una vez cada dos semanas para mantener la humedad.

- NUTRICIÓN Y SUPLEMENTOS. Aplicar fertilizante líquido al agua de riego cada quince días durante el crecimiento y cuando esté en flor.

Luz indirecta	Riego escaso	15-20 °C

DAHLIA SPP.

DALIA

Originaria de México, recibe su nombre en honor de Andreas Dahl, alumno de Linneo. Pertenecientes a la familia *Asteraceae*, las dalias poseen unas hojas de forma triangular, de margen denticulado y nervación unifoliada. El color del follaje es verde pálido, careciendo de un brillo especial. La dalia es una planta que se puede encontrar con diferentes tamaños, desde plantas con una altura de 30 cm hasta plantones de más de 1,2 m. Se desarrolla en una ramificación desordenada, solamente dirigida por los rayos solares, pero forma una mata densa con un gran número de hojas. La tuberización está inducida por los días cortos. Las cabezuelas, radiadas, con un diámetro de hasta 15 cm, son erectas o inclinadas, con flores muy variables, de color púrpura claro, amarillo o rosa en la base.

NECESIDADES

- LUZ. A pleno sol. Es una planta que necesita recibir la luz de manera directa.
- TEMPERATURA. Demanda una temperatura cá-

La dalia pompom es una curiosa variedad que dispone sus pétalos como si de una esfera esponjosa se tratara.

Fue introducida en Europa por los españoles con fines puramente alimenticios, ya que los aztecas comían sus bulbos. Esta idea fue pronto desechada y los belgas obtuvieron las primeras plantas de carácter ornamental con flores grandes y dobles que se extendieron rápidamente por todo el continente.

lida. Se puede tener dentro de casa durante las épocas más frías, pues no aguantan las heladas, y con la llegada de las temperaturas cálidas se debe sacar a terrazas y ventanales donde, además de obtener mejor temperatura, puede aprovechar más tiempo la luz solar.

- HUMEDAD. Ha de mantenerse en un ambiente ligeramente húmedo. Durante el invierno se pueden pulverizar sus hojas con agua descalcificada una vez por semana.

CUIDADOS

- PLANTACIÓN, TRASPLANTE Y PODA. A la hora de buscar nuevos ejemplares se obtendrán por medio de esquejes, separando de los tubérculos principales los brotes de la vegetación originaria hacia el final de la estación fría. Y de una manera más sencilla y rápida se puede realizar la división de tubérculos beneficiando también a la planta, pues se revigoriza. La dalia está provista de un cierto número de tubérculos subterráneos, cada uno de los cuales tiene su correspondiente yema en la parte carnosa. Cuando se procede a la división del tu-

bérculo hay que asegurarse de que cada porción tenga la correspondiente yema, ya que de no ser así le sería imposible la reproducción. La división de los rizomas debe hacerse en el mismo momento de efectuar la plantación. Para que alcancen un mayor tamaño, se plantan a una profundidad de 10 a 12 cm para las variedades más fuertes y de 8 cm para las más pequeñas. Junto al tubérculo se pone un tutor destinado a sostener la futura planta.

- RIEGO. Tras la plantación, los riegos serán moderados para que las raíces no se encharquen. Hay que aumentar el riego a días alternos en cuanto aparezcan los capullos y, durante el calor fuerte, se debe regar en abundancia.
- NUTRICIÓN Y SUPLEMENTOS. Se ha de abonar durante la estación fría, cuando la planta pierde las hojas.

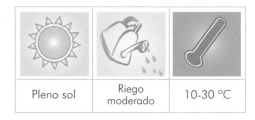

| Pleno sol | Riego moderado | 10-30 °C |

GARDENIA JASMINOIDES

GARDENIA

Perteneciente a la familia de las rubiáceas fue bautizada con este nombre en honor del médico y naturalista A. Garden (s. XVIII). Es originaria de China donde su cultivo por el hombre se remonta a los anales de la historia. En todo Asia es considerada una planta de paz y serenidad. Desde el punto de vista botánico es un arbusto perenne de hasta dos metros de altura media en su hábitat natural, pero que en su cultivo en interiores apenas alcanza la mitad de esta longitud. Crece con multitud de ramificaciones que poseen unas hojas verde brillante, con forma de lanza, opuestas y con fuerte nervadura central. Las flores, que en las plantas originales son blancas pero que en los híbridos comerciales se presentan de muy diversos colores, tienen gran cantidad de suaves y fragantes pétalos que cubren por completo la roseta central donde se encuentran los órganos reproductores.

NECESIDADES
• LUZ. Resulta indispensable proporcionar a la gardenia gran cantidad de luz filtrada. No tolera las zonas oscuras o en semisombra, se debe colocar en una estancia muy luminosa, pero en la que los rayos del sol no puedan incidir sobre las delicadas hojas de la planta.
• TEMPERATURA. Para garantizar un buen desarrollo hay que mantener estable la temperatura del lugar donde se encuentre situada la maceta. Con mínimas superiores a 15 °C y máximas inferiores a 25 °C se conseguirá una gran floración.
• HUMEDAD. El clima seco es uno de sus mayores enemigos. Para garantizar una humedad homogénea se coloca la maceta sobre un plato con agua y guijarros.

CUIDADOS
• PLANTACIÓN, TRASPLANTE Y PODA. La poda se realiza cada año tras caer la última flor. Ha de ser ligera, para quitar espesor a la planta. El cambio de maceta se debe realizar cada dos años a una de mayor diámetro, y se procede a cambiar el sustrato, que ha de ser ligeramente ácido e incluir algo de madera de brezo en la mezcla.
• RIEGO. El sustrato ha de estar siempre húmedo. El riego puede llegar a ser diario, aunque en pe-

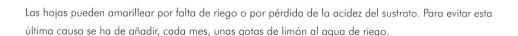

Las hojas pueden amarillear por falta de riego o por pérdida de la acidez del sustrato. Para evitar esta última causa se ha de añadir, cada mes, unas gotas de limón al agua de riego.

La floración ocupa todo el semestre cálido del año, los capullos se van abriendo alternativamente. El color blanco de la flor joven se va tornando amarillo cuando se acerca la época de marchitarse.

queñas cantidades. Hay que vigilar que el agua de riego sea agua blanda, libre de cal.

- NUTRICIÓN Y SUPLEMENTOS. Durante la floración, se añadirá fertilizante líquido para plantas acidófilas, al agua de riego durante un mes.

| Luz filtrada | Riego diario | 15-25 °C |

HIPPEASTRUM

AMARYLLIS

De la familia de las amarilidáceas, este género contiene más de 70 especies y 600 híbridos. Son plantas bulbosas que provienen de las zonas tropicales de América del Sur, de las Azores, de Sudáfrica y de otras regiones subtropicales de Asia. El nombre de *hippeastrum* lo recibió del reverendo inglés William Herbert, buscando traducir al latín la poética expresión inglesa *horseman's star*. Los primeros comerciantes que añadieron esta planta a su catálogo fueron los productores holandeses del siglo XVIII. Dada la proliferación de híbridos y la creación constante de nuevos ejemplares existe un consenso sobre las mínimas condiciones que deben cumplir éstos para

En la imagen la variedad *reticulatum* con la corola en forma de trompeta y con tonos pastel en sus pétalos.

ser considerados amaryllis. Sus hojas son acintadas, con un tallo de altura variable entre los 15 y los 50 cm, en su parte terminal se encuentran las flores, de dos a cinco, con una corola en forma de estrella y unos pétalos ligeramente apuntados.

En el mercado de la jardinería los siguientes *hippeastrum* son fáciles de encon-

La variedad *vittatum* es una de las más usadas por su gran versatilidad y mejor resistencia ante los cambios de temperatura.

trar y componen el grupo de los amaryllis favoritos para la decoración de interiores:

- Amaryllis escarlata *(Hippeastrum ecuestre)* usado también para flores cortadas, sus pétalos son rojos y con pinceladas más claras en su interior, junto a los estambres.
- Amaryllis del Perú *(Hippeastrum vittatum)* de color crema, con manchas jaspeadas en tonos Burdeos posee uno de los tallos más altos.
- Amaryllis belladona, bicolor, con pétalos más largos y con corola en forma de cono.

NECESIDADES

- Luz. Pertenece al grupo de las llamadas plantas inquietas, porque siempre hay que estar moviendo la maceta de sitio, o al menos girarla para que la luz, que no el sol directo, bañe por igual todo su cuerpo.
- TEMPERATURA. Gusta de temperaturas suaves y estables, resulta muy sensible al frío. Ha de permanecer entre 12 y los 22 °C.
- HUMEDAD. En las zonas con inviernos fríos en las que se haga uso de una potente calefacción, se ha de situar un humidificador que contrarreste el ambiente seco que producen los aparatos caloríficos.

CUIDADOS

- PLANTACIÓN, TRASPLANTE Y PODA. Uno de los cuidados más importantes que necesita esta planta es observar de manera severa el calendario de descanso y floración que el vegetal requiere. Así, tras la caída de las flores se ha de seguir regando y abonando la planta cada diez días hasta la caída de las hojas, es en este momento cuando comenzará el período de descanso, donde la planta tomará los nutrientes almacenados en su bulbo.
- RIEGO. Ha de realizarse desde el comienzo del brote de las hojas hasta que éstas se marchiten por completo. Durante este período se realizarán riegos copiosos cada cuatro días. Pasado este tiempo, y durante los dos meses que dura el período de descanso, no se regará la planta.
- NUTRICIÓN Y SUPLEMENTOS. El abonado resulta vital para la supervivencia del amaryllis, desde el comienzo de la floración hasta la caída de la última hoja se ha de aportar cada diez días, junto al agua de riego, un fertilizante líquido rico en hierro y magnesio.

| Luz clara | Riego estacional | 12-22 °C |

HYDRANGEA MACROPHYLLA

HORTENSIA

Como gran parte de la gente imagina, el nombre de hortensia lo recibió esta planta, originaria de China y Japón, en honor de una mujer. Hortense Lepante es el nombre de la afortunada dama, que vivió en la Francia del siglo XVIII. La hortensia, morfológicamente, se identifica por ser un vegetal arbustivo que alcanza hasta 2 m de altura; de hojas caducas con forma elíptica, dentadas, terminadas en punta y ligeramente nervadas. Las flores se reúnen en inflorescencias corimbiformes muy pequeñas que quedan ocultas por los grandes sépalos de innumerables colores que habitualmente se confunden con la flor.

La hortensia es muy versátil en cuanto al tipo de sustrato que optimiza su crecimiento. Aun así, se consigue un mejor rendimiento con suelos ácidos, porosos y levemente húmedos.

ponen a la venta en los centros de jardinería cada vez son más resistentes a las bajas temperaturas.

- HUMEDAD. En la época más cálida en climas secos o en el invierno si se halla en una estancia con un potente aparato de calefacción, se deben pulverizar sus hojas, sin alcanzar a las flores, una vez por semana con agua sin cal. Éste es el principal enemigo de las hortensias.

CUIDADOS

- PLANTACIÓN, TRASPLANTE Y PODA. El color de las flores lo determina el pH del sustrato que la contiene, de forma que si el sustrato tiene un pH de 4,5 a 5 y elevado contenido de aluminio libre con contenido alto en K_2O, la flor será azul. La multiplicación se realiza mediante esquejes finalizada la floración y dejando que la nueva planta arraigue durante el invierno.

NECESIDADES

- LUZ. En la estación más cálida ha de resguardarse de los rayos solares, pero durante el invierno debe recibir baños de sol diarios.
- TEMPERATURA. Gusta de un clima cálido y de una temperatura media de 15°C, pudiendo las máximas superar los 30°C y vigilando que la mínima no descienda de 10 °C. Hoy en día los híbridos que se

Hydrangea, que se traduce literalmente del latín como bebedora de agua, recibió este nombre por la gran cantidad de ésta necesaria para su supervivencia.

- RIEGO. Necesita un riego frecuente y abundante. De dos a tres veces por semana durante todo el año. Si la parte superior del sustrato se secara entre riego y riego puede aplicarse otro adicional menos copioso. Es recomendable regarlas con agua de lluvia para no intervenir en los valores del pH del suelo.

- NUTRICIÓN Y SUPLEMENTOS. Han de utilizarse abonos específicos de hortensias o azaleas, pues los fertilizantes genéricos ayudan al desarrollo de las hojas, pero producen una escasa floración.

Pleno sol	Riego abundante	10-30 °C

LILIUM SPP.

AZUCENA

El género *lilium* comprende más de cien especies que abarcan todas las regiones templadas del hemisferio norte, especialmente en Asia, de donde son originarias el 60% de las variedades. Aunque se cultiva principalmente como flor para cortar, es una excelente planta de interior y jardín. Sus bulbos son escamosos. Las hojas son lanceoladas, de unos 10 cm de largo y de 3-5 cm de ancho, con los nervios en paralelo en sentido longitudinal. Las flores tienen forma de trompeta, cáliz o turbante, unas veces se mantienen erectas y en otras ocasiones colgantes.

Del centro de la flor nacen largos estambres que contienen gran cantidad de polen. No es una planta recomendada para hogares con personas alérgicas a este elemento.

Multitud de variedades se usan actualmente en la jardinería:

- *Lilium longiflorum.* De flores blancas.
- Híbridos. Producidos al cruzar *Linium speciosum y Linium auratum*, con llamativos colores que van del rojo al amarillo.
- *Lilium candidum y Lilium regale.* Desprenden una agradable fragancia, especialmente durante la noche.

La gama de colores hoy en día es casi infinita debido a los innumerables cruces y a la selección artificial que se realiza con las semillas. Los más demandados son el blanco, naranja, rosa, amarillo y morado.

NECESIDADES

- LUZ. La mejor forma de mantener en buen estado la azucena es evitar que la luz dé directamente sobre la tierra donde se encuentra plantada. Su necesidad de luz es moderada. Las flores necesitan más luz que el resto de la planta, pero un exceso hará que sus colores pierdan tono.
- TEMPERATURA. A mayor temperatura menor número de flores. Su temperatura ideal es de 15 a 18 °C. La mínima nunca será menor de 12 °C y la máxima no superará los 25 °C. Durante las épo-

De este tipo de plantas también se aprovecha el aceite del bulbo para usos medicinales.

cas cálidas es conveniente colocar la planta en un lugar fresco, especialmente durante la noche.
- HUMEDAD. El sustrato ha de mantenerse en todo momento ligeramente húmedo.

CUIDADOS

- PLANTACIÓN, TRASPLANTE Y PODA. Los bulbos se entresacan cada tres o cuatro años para replantarlos y obtener nuevos ejemplares. La mejor época para la plantación es el principio de la estación fría, para que el bulbo se desarrolle lentamente bajo tierra. El *Lilium* es sensible a la salinidad; los suelos más idóneos para su cultivo son suelos sueltos, con buen drenaje, ricos en materia orgánica y con una profundidad de 40 cm para que el lavado de sales se realice con facilidad. El pH ha de ser cercano al neutro o ligeramente ácido. (5,5–6,5)
- RIEGO. Para mantener la humedad, el riego se hará dos veces en semana, aumentándolo si fuera necesario en pequeñas dosis que no inunden la maceta.
- NUTRICIÓN Y SUPLEMENTOS. Para mejorar el color de sus flores se debe aplicar un tratamiento con quelatos de forma previa a la floración.

| Luz moderada | Riego moderado | 15-18 °C |

RHODODENDRON INDICUM

AZALEA

De origen chino, este vistoso se-
miarbusto se popularizó en Europa
en el siglo XIX. De la familia de las
ericáceas, se distingue por sus tallos leñosos y muy ramificados, que
pueden llegar a medir 1 m de altura.
Sus hojas son ovales, con un pequeño
peciolo y un tacto sedoso otorgado por
la vellosidad que las recubre. Las flores
se reúnen en grupos de hasta tres, tienen forma de campana y colores muy
vistosos que aumentan cada día por la
incorporación de nuevos híbridos al
mercado.

Los híbridos
de la azalea, además de
variar los colores de las flores, consiguen que
nazcan en ramos más apretados y con los
pétalos superpuestos para aparentar mayor
frondosidad.

NECESIDADES
- LUZ. Ha de situarse siempre cerca de
  una gran ventana o claraboya, necesita mucha luz durante todo el día.
- TEMPERATURA. Gusta de temperaturas
  frescas o ligeramente cálidas. Ha de
  mantenerse entre 12 y 20 °C.

- HUMEDAD. El principal enemigo es el
  calor excesivo y seco procedente de
  potentes aparatos de calefacción. Durante el invierno debe colocarse en estancias que no dispongan de radiadores; si fuera inevitable esta situación
  se pulverizarán sus hojas cada tres
  días con agua descalcificada.

CUIDADOS
- PLANTACIÓN, TRASPLANTE Y PODA. La
  poda se realiza tras la floración siempre y cuando la temperatura no sea

Usada también en floristería, hoy en día se
comercializan más de 700 variedades distintas.

muy fría, más de 8 °C. Se retiran todas las ramas del año dejando de dos a tres yemas axilares. El trasplante es indispensable que sea anual. El riego constante que necesita esta planta hace que el sustrato pierda con rapidez las condiciones de acidez óptimas para la azalea; por ello, tras la caída de la última flor se trasplantará a una maceta ligeramente mayor que la anterior con un sustrato ácido universal, se venden ya mezclados en todo tipo de centros de jardinería.

• Riego. La azalea es de las pocas plantas de interior que necesita agua constantemente. En la estación cálida ha de regarse a diario y, durante el invierno, el riego se debe aplicar cada dos días.

• Nutrición y suplementos. Ha de añadirse fertilizante líquido, cada quince días, al agua de riego, durante toda la floración. La mejor elección es un abono especial para plantas acidófilas.

Luz indirecta	Riego diario	12-20 °C

ROSA POLYANTHA

Rosa multiflora

Si existe una flor de exterior conocida y apreciada de igual manera en todos los continentes, es la rosa. Aúna tantas características que no es difícil explicar el porqué de su triunfo. En este volumen no podía faltar una referencia a la familia de la rosa, en este caso la rosa multiflora, una variedad de interior. Originaria de Asia, es un arbusto de hasta 4 m de altura que, en su cultivo en maceta, nunca sobrepasa los 90 cm. Tiene un tallo muy ramificado, con hojas compuestas, ligeramente aterciopeladas, de forma oval y limbo dentado.

Sus flores son blancas, rosas o rojas, aunque los avances actuales han conseguido que se obtengan de casi cualquier color. Se reúnen en racimos piramidales y frondosos.

En ocasiones se usa como planta para terrazas y bancales. En estos casos es fundamental controlar diariamente la temperatura exterior para evitar que las heladas congelen sus hojas.

NECESIDADES

• Luz. A pleno sol. Durante todo el año

El sustrato para plantar una rosa multiflora debe contener turba, arena calcárea y tierra natural a partes iguales.

se le ha de proporcionar el máximo contacto posible con los rayos solares.

- TEMPERATURA. Se deben evitar las heladas y las temperaturas inferiores a 5°C, es una planta muy resistente que puede soportar temperaturas de hasta 35 °C.
- HUMEDAD. Ha de situarse en un lugar fresco y ligeramente seco.

CUIDADOS

- PLANTACIÓN, TRASPLANTE Y PODA. La poda es anual, se realiza en pleno invierno y su carácter es tanto ornamental como para la salud del rosal. La multiplicación más efectiva se realiza por injertos al comienzo de la primavera.

- RIEGO. Moderado. Durante todo el año, un riego semanal, y si el sustrato se seca muy rápidamente durante la época de floración, se pueden aplicar dos en una misma semana.
- NUTRICIÓN Y SUPLEMENTOS. Tras la caída de las flores se puede echar un puñado de abono sólido en la parte superior del sustrato. Es recomendable hacerlo con abonos químicos que contengan nitrógeno.

| Pleno sol | Riego moderado | 5-35 °C |

SAINTPAULIA IONANTHA

VIOLETA AFRICANA

Planta herbácea, perteneciente a la especie de las gesneriáceas, proviene de las regiones tropicales de África. La variedad más usada en jardinería es un híbrido de la *saintpaulia ionantha* y de *saintpaulia confusa*. Alcanza una altura de 30 cm. En el centro de la planta surgen racimos de cinco o seis flores, que pueden ser simples o dobles, sus pétalos son aterciopelados y el

Su floración de color violeta presenta estambres amarillos.

Los fertilizantes para plantas de flor estimulan en demasía el crecimiento de las flores, en ocasiones en detrimento de las hojas. Si la violeta sufre esta escasez de hojas se puede aplicar un nuevo fertilizante rico en nitrógeno.

limbo irregular. Las flores son de vivos colores, el originario es el violeta, y sus estambres son amarillos. Las hojas, carnosas y de color verde oscuro, tienen una forma lanceolada y un perfil también irregular.

NECESIDADES

- LUZ. No necesita una exposición directa al sol. En las épocas más cálidas puede colocarse en zonas de semisombra y durante las épocas más frías se puede llevar cerca de una ventana. Dependiendo de las horas de sol del lugar en el que nos encontremos, y especialmente en las épocas frías, será necesario prolongar las horas de luz con iluminación artificial.
- TEMPERATURA. Es una planta cálida, que necesita temperaturas superiores a los 18 °C durante todo el año. Así, en las estaciones frías debe encontrarse en una habitación cálida.
- HUMEDAD. Necesita de humedad continua en la maceta. Se colocará sobre musgo o sobre un plato con agua y guijarros cuidando que el agua no toque directamente el tiesto. No es bueno humidificarla con pulverizadores.

CUIDADOS

- PLANTACIÓN, TRASPLANTE Y PODA. El sustrato en el que se debe plantar la violeta es de turba y tierra universal. Para favorecer el crecimiento se ha de trasplantar cada dos floraciones a una maceta ligeramente mayor (2-3 cm). Para la obtención de nuevas plantas se toma una hoja nueva con rabo y se introduce en agua tibia la parte del rabo de la hoja hasta que comience a echar raíces, entonces se trasplanta inmediatamente a una pequeña maceta con turba.
- RIEGO. El riego ha de ser moderado. Es una planta que se pudre con facilidad. Se riega por abajo, introduciendo la maceta en una plato con agua durante 15-20 minutos. En las estaciones cálidas la frecuencia será de 2 veces por semana y en las frías 1 vez cada 15 días.
- NUTRICIÓN Y SUPLEMENTOS. Durante la época de floración se complementará con fertilizante líquido cada riego. En primavera y verano debe añadirse un poco de fertilizante líquido al agua de riego cada 3 semanas.

Semisombra | Riego moderado | Más de 18 °C

SALVIA SPLENDENS

BANDERILLA

Conocida popularmente con un nombre tan español por el gran parecido de su tallo floral con las banderillas usadas en la lidia taurina.

Crece de manera espontánea en la frondosa selva amazónica, desde allí fue llevada a Europa a mediados del siglo XIX, donde comenzó su cultivo para comerciar con ella como planta, primero de jardín y más tarde de interior. De carácter anual, alcanza una altura superior a los 90 cm, sus hojas son delgadas, ovaladas, con el limbo ligeramente serrado y la nervadura central de color más claro que el resto de la hoja. Las flores brotan de una espiga específica para tal efecto, la corola, el cáliz y los pétalos son de color rojo brillante.

Florece durante gran parte del año. Esta planta puede ser infectada por hongos y es muy fácil que la temible mosca blanca anide en ella.

NECESIDADES

- LUZ. Sombra moderada. Necesita una estancia luminosa media y que los rayos del sol no toquen nunca sus flores.
- TEMPERATURA. Es capaz de adaptarse a diversos climas, la temperatura mínima no ha de bajar de los 5 °C y la máxima no superar los 30 °C.
- HUMEDAD. La banderilla es una opción muy acertada para situar en habitaciones frescas y con poca humedad; aunque una humedad ambiental alta no afecta a su desarrollo.

CUIDADOS

- PLANTACIÓN, TRASPLANTE Y PODA. La multiplicación se realiza por semillas, que se toman de la planta antes de que ésta florezca. La poda anual tiene un carácter ornamental y persigue que la planta no se desarrolle en exceso y se mantenga dentro de las proporciones justas para la maceta en la que se encuentra.
- RIEGO. La clave para su buen cultivo reside en aplicar acertadamente los riegos. La *salvia splendens* necesita que su sustrato se mantenga fresco y sin humedad, por ello el riego se hará cada vez que la parte superficial de la maceta se seque y nunca con menos de una semana de diferencia entre ellos.
- NUTRICIÓN Y SUPLEMENTOS. Al igual que a otras plantas de flor, se puede aplicar fertilizante líquido durante el período de floración, dos meses máximo de tratamiento, junto al agua de riego.

| Luz difusa | Riego escaso | 5-30 °C |

SENECIO CRUENTUS

CINERARIA

Las Islas Canarias (España), por su privilegiada situación insular en un clima subtropical, han regalado al mundo gran cantidad de vegetación e hibridaciones propias de gran belleza. El *senecio cruentus* es originario de este archipiélago español donde se dan diversas variedades de ejemplares de la familia senecio. Estas plantas, que raramente superan los 50 cm de longitud, poseen un tallo muy ramificado en su parte aérea. Tiene hojas pecioladas, que adquieren diferente tamaño según la variedad de que se trate, siempre presentan limbos muy lobulados y ligeramente dentados; en algunos casos aparecen dos o tres por tallo y en otros híbridos forman una tupida red que sirve de fondo a las inflorescencias. Las flores crecen en la parte superior de la planta, se reúnen en grupos de varios brotes que forman un ramillete semiesférico.

Si las hojas comienzan a amarillear hay que buscar posibles corrientes de aire que enfríen bruscamente la temperatura del entorno de la planta. Una solución fácil y rápida es cambiar de sitio la maceta.

NECESIDADES

- LUZ. Ha de recibir luz filtrada pero continua. Si se tuviera ocasión, durante la estación cálida se debe sacar a un jardín o terraza donde el sol no incida en las horas centrales del día, para aportar mayor cantidad de luminosidad y favorecer así una rica floración.
- TEMPERATURA. No soporta las heladas, se ha de vigilar que la temperatura no cambie de manera brusca y es recomendable que se mantenga entre 10 y 30 °C.
- HUMEDAD. Necesita un ambiente húmedo. Si durante el invierno y debido

Las flores se reúnen en grupos de varios brotes que forman un ramillete semiesférico.

a los aparatos de producción de calor no es posible conseguirlo, se han de pulverizar sus flores, poniendo especial cuidado en que no se acumule humedad en el envés de las hojas.

CUIDADOS

- PLANTACIÓN, TRASPLANTE Y PODA. Esta planta tiene carácter anual, se multiplica por las semillas que se compran en los centros de jardinería y se desecha cada temporada.

- RIEGO. Requiere riegos copiosos cada dos o tres días durante todo el año.
- NUTRICIÓN Y SUPLEMENTOS. Se debe aplicar abono líquido cada tres semanas durante todo el semestre que coincide con la floración.

| Lus difusa | Riego abundante | 10-30 °C |

SINNINGIA SPECIOSA

GLOXINIA

El director del Jardín Botánico de Bonn, W. Sinning, dio lugar a la denominación botánica del género de la gloxinia. De la familia de las gesneriáceas, se ha encontrado su origen en la amazonia brasileña. De carácter perenne, esta planta herbácea con raíces tuberosas posee un pequeño tronco central del que brotan ramas con hojas carnosas, de textura aterciopelada y color verde oscuro. Sus flores, inicialmente rojas, se componen de varios lóbulos, cinco o seis, que forman una corola con forma de tubo desde el lugar de nacimiento hasta el último tercio del pétalo; en su interior se encuentran varios estambres de color blanco.

Sus flores forman una corola tubular, desde el lugar de nacimiento hasta el último tercio del pétalo.

NECESIDADES

- LUZ. Una habitación soleada o una terraza cubierta con luz filtrada, son los lugares perfectos para colocar una gloxinia pues necesita mucha luz pero nunca de manera directa.
- TEMPERATURA. Los sucesivos híbridos y mejoras genéticas que se han producido en las plantas que salen a la

La flor de la gloxinia, inicialmente roja, adquiere una gran diversidad de tonalidades, conservando siempre estambres de color blanco en su interior.

venta no han conseguido cambiar sus característica de planta de clima cálido. Ha de permanecer en estancias con una temperatura que se mueva entre los 17 y los 22 °C.

• HUMEDAD. Como planta originaria de una selva, la humedad a su alrededor ha de ser alta. El mejor método para aumentarla, es colocar la maceta sobre un plato con agua y grava.

CUIDADOS

• PLANTACIÓN, TRASPLANTE Y PODA. La multiplicación se realiza en primavera por división de tubérculos, a finales de invierno por semillas o en verano por esqueje de hoja. Para plantar tubérculos se entierran someramente, dejando sobresalir una pequeña parte por encima del sustrato, en una mezcla de turba, perlita y arena de río a partes iguales.

• RIEGO. Ha de regarse desde abajo, el agua no debe tocar sus hojas. Pasado el período de floración, y durante toda la estación fría, se deja reposar el tubérculo en la maceta, seco, sin riego.

• NUTRICIÓN Y SUPLEMENTOS. El abonado se realiza en el último mes de la floración. En este tiempo se añade al agua que se depositará en el platillo de riego la dosis recomendada por el fabricante.

| Luz difusa | Riego moderado | 17-22 °C |

PLANTAS DE FOLLAJE ORNAMENTAL, HELECHOS Y PALMAS

Las plantas de follaje ornamental son el segundo pilar sobre el que se apoya la jardinería. Estos ejemplares, admirados por sus hojas y sus tallos, nos enseñan a disfrutar de la belleza de las diferentes tonalidades de verdes y marrones con los que se viste la naturaleza.

Los helechos, que hasta la aparición de la calefacción central gozaron de hegemonía absoluta en el reino de las plantas de interior, vuelven con fuerza a ser incluidos en la decoración de nuevas casas. El ambiente seco o las temperaturas poco estables que tanto perjudican a estos ejemplares se han demostrado también poco sanas para las personas, y en la actualidad los helechos, además de por su exuberante porte, se usan como símbolo de equilibrio de temperatura y humedad en un hogar.

Las palmas no han perdido nunca el favor de los jardineros, desde hace siglos decoran con su frondoso follaje cualquier estancia, o dan color y frescura a los rincones de pasillos y grandes salones.

En la actualidad, los centros de jardinería venden palmas ya crecidas de muy diversas familias, todas ellas tienen en común el necesitar un lugar cálido, con la temperatura estable y en el que únicamente pueda alcanzarles el sol de primeras horas de la mañana.

ASPARAGUS FALCATUS

Esparraguera

De la familia *Asparagaceae liliaceae,* el *asparagus* crece en zonas templadas y subtropicales. Generalmente las esparragueras poseen raíces tuberosas con numerosos tubérculos traslúcidos con forma de elipse. Sus tallos, ligeramente estriados, pueden llegar a medir 2 m de altura. Es apreciada como planta ornamental por sus hojas; este follaje en realidad consiste en modificaciones de las ramas, llamadas cladófilos, con una medida de 2-9 x 0,3-0,5 mm, ya que las hojas quedan reducidas a escamas. Las flores son pequeñas, solitarias o dispuestas en racimos. Podemos destacar ciertas variedades:

- *Asparagus densiflorus.* Siempre verde, de tallos erguidos, con grupos de tallos pequeños y plumosos. En la época más cálida da unas flores rosadas y luego unas bayas tóxicas.

A esta trepadora siempre verde y de gran altura se la reconoce por sus tallos largos y ramificados provistos de pequeñas hojas aciculares.

- *Asparagus asparagoides.* Conocida como Camila es trepadora, de altura media y produce unas flores aromáticas al final de la época cálida.
- *Asparagus falcatus.* Perenne y de hojas parecidas al bambú, tiene un follaje muy resistente y denso.
- *Asparagus piramidalis.* Sus tallos, finos y alargados están menos ramificados y más compactos que en la *Asparagus plumosus.*
- *Asparagus myriocladus.* Los plumeros arbustivos y llenos de follaje que produce son muy cotizados y la convierten en una estrella dentro de las plantas ornamentales. Su inconveniente es la lentitud con la que se desarrolla, evolución que suele llegar a los tres años.

NECESIDADES

- Luz. Es una planta que se desarrolla bien en sitios con poca luz.
- Temperatura. Admite temperaturas desde los 5 °C de mínima a los 30 °C de máxima. Durante la época fría, necesita un período de tiempo con temperaturas frescas (8-12 °C).
- Humedad. Requiere una humedad media y constante. Los bruscos cambios en los niveles de humedad hacen que los cladodios, o ramas que sustituyen a las hojas, cambien de color.

CUIDADOS

- Plantación, trasplante y poda. Cuando tenga un tamaño excesivo podemos transplantar, u obtener nuevas plantas por medio de la división de la principal. La poda se realiza a

El exceso de iluminación hace perder intensidad al color verde de su follaje.

abundantemente, aunque parte del agua se vaya al fondo de la maceta; en la época fría el riego puede realizarse cada dos semanas.

• NUTRICIÓN Y SUPLEMENTOS. Fertilización líquida cada quince días. Determinadas zonas requieren suplementos de nitrógeno y potasio.

ras de suelo cuando las hojas están amarillas.

• RIEGO. Esta planta tolera mejor la falta de agua que el exceso de riego. En épocas cálidas se deberá regar cada cinco-siete días de una única vez y

| Luz difusa | Riego escaso | 5-30 °C |

BLECHNUM GIBBUM

BLECNO

Es también conocido en algunas zonas de Sudamérica como la hierba papagayo. De la familia de las *Blechnaceae,* es un helecho que tiene su origen en Nueva Caledonia y amplias zonas de América del Sur. Su apariencia es herbácea, pero en su hábitat natural, y en interiores con los cuidados necesarios, puede desarrollarse como arbóreo. Su tallo y ramificaciones van creciendo lentamente y tomando consistencia, en apenas tres años puede alcanzar una altura de 90 cm. Sus frondosas hojas nacen del tallo, son lar-

El nombre latino *gibbbum,* que significa ondulado, fue dado a esta planta por la forma en la que sus hojas aparecen dispuestas sobre su nervio central.

gas, de hasta 50 cm de longitud, nervadas y muy divididas.

NECESIDADES

- Luz. Este ejemplar es uno de los helechos que mejor tolera la luz natural. Puede colocarse cerca de una ventana cuya orientación permita que el sol de la mañana incida sobre él.
- TEMPERATURA. En algunas latitudes el cultivo de los helechos únicamente se puede realizar en invernaderos; la causa es la inexcusable necesidad de que la temperatura nunca baje de 16 °C. Cuando así ocurre, su metabolismo se vuelve cada vez más lento y su desarrollo es nulo.
- HUMEDAD. Siempre ha de estar por encima del 60%, lo que es un dato alto pero no imposible de conseguir en cualquier latitud.

CUIDADOS

- PLANTACIÓN, TRASPLANTE Y PODA. La multiplicación es un proceso muy delicado; se realiza mediante esporas, como se explica en el capítulo dedicado a cuidados y usos. La planta ha de ser trasplantada cada dos años a una maceta de mayor tamaño. El sustrato ha de ser rico en turba y nitrógeno.
- RIEGO. Ha de ser constante, cada tres o cuatro días durante todo el año. La variación se realizará en la cantidad de agua. En verano los riegos serán más copiosos, en invierno más ligeros.
- NUTRICIÓN Y SUPLEMENTOS. Durante todo el período de calor se debe añadir fertilizante líquido, formulado para plantas verdes, al agua de riego. Según las instrucciones que el fabricante indique.

| Luz difusa | Riego medio | Más de 16 °C |

CODIAEUM VARIEGATUM

CROTÓN

Originario del sureste asiático es muy decorativa tanto por sus hojas brillantemente coloreadas como por la diversidad de las mismas: ovales, lanceoladas o lineales. Bajo el nombre de *codiaeum va-*

El crotón es una euforbia que tiene el consenso de todos los expertos para incluirla en las clasificaciones como planta de follaje ornamental.

En las estadísticas de ventas, el
crotón siempre se encuentra entre
las plantas de follaje ornamental
más vendidas. La gran cantidad de
híbridos que hay en el mercado, su
belleza y su versatilidad son sus
principales bazas.

riegatum se reúnen numerosas variedades,
entre las que encontramos:

- *Excellent.* De grandes hojas afiladas en
  los extremos; con tonos que van del rojizo de las primerizas al amarillo de las
  más maduras.
- *Rina.* Destacada por sus marcados nervios rojizos y amarillos.
- *Nervia.* Distinguida por sus hojas muy
  grandes y terminadas en punta, de nervios amarillos y bermellones que adquieren una marcada forma reticular
  delimitando toda la hoja.
- *Punctatum.* Variedad de hojas pequeñas
  con motitas más oscuras y un follaje
  muy espeso.
- La famosa variedad *goldfinger.* Con pequeñas hojas verdosas que tienen junto
  al tallo tonos amarillentos y forma de asa.

  En general, las variedades de colori-
dos rojizos son menos delicadas que las
de hojas amarillentas.

NECESIDADES

- Luz. El crotón es una planta que necesita de luz intensa sin exposición directa a los rayos del sol; si se diese
  este caso habrá que mantener el nivel

de humedad ambiente más alto de lo
habitual.

- TEMPERATURA. Ha de ser constante,
  pues los cambios bruscos pueden hacerlo enfermar. Debe estar en un lugar cálido. Puede aceptar hasta 15 °C de temperatura mínima y 27 °C de máxima.
- HUMEDAD. Es conveniente rociar sus
  hojas semanalmente, y en épocas más
  cálidas se deben pulverizar a diario.
  Como truco para mantener la humedad
  puede colocarse la maceta en un platillo
  de agua con guijarros o piedras, pero
  atendiendo a que el líquido nunca toque la maceta del crotón.

CUIDADOS

- PLANTACIÓN, TRASPLANTE Y PODA.
  Cuando comience la estación cálida,
  debe trasplantarse la planta a una maceta más grande que la del año anterior.
  Como en la primera plantación, el trasplante requiere únicamente la colocación
  en el fondo de la maceta de pequeñas
  piedras o trozos de cerámica para facilitar el drenaje. Con respecto a la poda se
  aconseja que si se desarrolla un sólo eje,
  se corte el ápice para estimular creci-

mientos laterales, esto es mejor realizarlo antes de que el crotón tenga más de 50 cm de altura, pues el peso de las ramas nuevas puede hacerlo crecer de lado.

- RIEGO. El compost nunca debe quedar seco. Generalmente ha de regarse de dos a tres veces por semana con temperaturas cálidas y cada cuatro o cinco días en épocas más frías. Es recomendable usar agua tibia.
- NUTRICIÓN Y SUPLEMENTOS. Acepta muy bien el fertilizante líquido duran-

te los meses de calor, siguiendo las indicaciones del fabricante en cuanto a las dosis. Es aconsejable aplicarlo cada 15 días.

Luz filtrada	Riego moderado	15-27 °C

COLEUS SPP.

CÓLEO

El género *coleus* comprende unas 150 especies de plantas herbáceas, procedentes de Java. Son anuales, de hojas opuestas, simples, pecioladas, cordiformes y, generalmente, dentadas. El cóleo destaca por la vistosa coloración de su follaje, que va del amarillo al púrpura, del marrón al verde y, en ocasiones, hasta el escarlata. Las tonalidades se distribuyen sobre la superficie de las hojas en manchas, franjas y también formando zonas concéntricas.

Existe un gran número de variedades obtenidas por hibridación de distintas especies. Casi todas las variedades son fruto del cruce de *coleus blumei*, originariamente rojo, con *coleus verschaffeltii*. Entre las variedades más notables de cóleo destacan:

- *Arc-en-ciel*. Hojas de color amarillento o rosado, bordeadas por una franja verdosa
- *Iroquois*. Hojas alargadas, de color rojo brillante y con una mota verde al comienzo del pecíolo.

El cóleo no debe situarse cerca de radiadores o puntos de calor pues sus hojas se caerán sin remedio.

- *Otoño*. De hojas en tonos cobrizos, bordeadas por una franja amarilla.

NECESIDADES

- LUZ. El cóleo necesita mucha luz, aunque hay que salvaguardarlo de los rayos solares en las horas centrales del día, especialmente cuando llega la época más calurosa del año.
- TEMPERATURA. La estancia en la que se coloque ha de ser fresca, entre 10-16°C,

Existe otra especie de cultivo, *Coleus pumilus*, menos extendida, de aspecto de péndulo, con hojas de pequeño tamaño color marrón oscuro y bordeadas en tono verde claro.

ya que no tolera muy bien temperaturas mayores.

CUIDADOS

- PLANTACIÓN, TRASPLANTE Y PODA. Si se desea que adquiera un porte arbustivo y no se limite a crecer sólo hacia arriba, se deben podar los vértices cuando la planta tenga unos 20 cm de altura. Si además se retiran las flores cuando salgan, las hojas del cóleo se desarrollarán mejor y el follaje resultará muy atractivo. Al comienzo de la estación fría, cuando sus hojas empiecen a perder color, se realizará una severa poda.
- RIEGO. Se ha de regar muy frecuentemente, pero de manera poco abundante. En la época más fría únicamente se pretende mantener el sustrato húmedo. Tras esta estación el riego será de dos-tres veces por semana y cuando el calor se haga más fuerte se aumentará a tres-cuatro veces por semana.
- NUTRICIÓN Y SUPLEMENTOS. Es necesario fertilizante líquido en el agua de riego cada diez-quince días durante la época de calor.

Semisombra	Riego moderado	10-16 °C

EPIPREMNUM AUREUM

POTO

Planta de origen tropical cuyo nacimiento, en esta variedad, se determina en las islas Salomón. Perteneciente a la familia de las aráceas, se cultiva en interior por sus hojas decorativas, que crecen sobre tallos colgantes o trepadores. Con unos cuidados óptimos puede crecer más de 30 cm cada temporada. En estado silvestre

Si se desea evitar que la copa del poto se quede calva se han de despuntar las ramas cada año.

Es habitual que las hojas se tornen de color amarillo. Las causas son el exceso de agua o la falta de hierro. Para esta última, la solución consiste en añadir quelatos de hierro al agua de riego.

• HUMEDAD. Esta planta tolera muy bien los ambientes secos de los interiores. Es recomendable, no obstante, pulverizar sus hojas con agua no caliza una vez por semana.

estas medidas se disparan, y en su madurez puede alcanzar enormes alturas. Las hojas varían en tamaño y color dependiendo de si se ha cultivado como trepadora, en cuyo caso todas las hojas tienen el mismo tamaño y color, o como colgante, en el que las hojas más alejadas de la maceta alcanzan un menor tamaño que las cercanas y el color amarillo irá apareciendo según se alejen del centro del follaje. En la variedad *aureum* encontramos que las hojas son grandes, acorazonadas, variegadas con tonos blancos, amarillos y siempre con largos pecíolos.

CUIDADOS

• PLANTACIÓN, TRASPLANTE Y PODA. La obtención de nuevas plantas se realiza mediante esquejes del tallo de un nudo con hoja de unos 3-5 cm de longitud. Se introducen en pequeñas macetas con sustrato poroso. Es preferible hacerlo en épocas cálidas, pues con temperatura constante de 20-25 °C el arraigamiento se produce en sólo 3 semanas. La planta madre se dejará crecer hasta cuatro o seis nudos para que siga teniendo fuerza.

• RIEGO. Muy sensible al exceso de agua. El riego se hará una vez cada semana y siempre dejando secar el sustrato entre riego y riego. Si se satura de agua las hojas amarillearán y comenzarán a caerse.

• NUTRICIÓN Y SUPLEMENTOS. Durante la época cálida se aportará cada dos riegos una dosis de abono líquido.

NECESIDADES

• LUZ. El lugar perfecto para colocar esta planta será luminoso, pero sin exposición directa al sol. Es muy sensible a la luz, así una sobreexposición hará que pierda el tono amarillento de sus hojas, pero si se diese la circunstancia contraria palidecería.

• TEMPERATURA. Necesita temperaturas cálidas (entre 15-22 °C). Cuando se encuentra en habitaciones con temperaturas por debajo de los 10 °C empieza a perder hojas y es más sensible a las invasiones de hongos.

| Luz difusa | Riego escaso | 15-22 °C |

ÍNDICE

Estudios de anémonas con mariposas, por Pieter van Kouwenhoorn (1630). Uno de los cuarenta y seis dibujos pertenecientes a un álbum titulado *Verzameling van Bloemen naar de Natuur geteekende*...(Cortesía de la Biblioteca Lindley, Real Sociedad de Horticultura.)